集英社文庫

夜明けまで1《ワン》マイル
somebody loves you

村 山 由 佳

集 英 社 版

夜明けまで1《ワン》マイル
somebody loves you

1

雨の音が聞こえる。

まださめきらない僕の夢を、やわらかな春の雨がさらさらと濡らしていく。

（……何限目からだっけ……今日）

目をつぶったままぼんやり考えるのだが、頭のギアがうまく入らない。

だいたい、今日って何曜日だったっけ？

（くそ、まぶたが開きゃしねえ）

まるでアロンアルファでくっつけたみたいなまぶたを無理やりこじあけると、光が、脳みそめがけてどっと流れこんできた。

重たい頭を枕から持ちあげ、まぶしさに目をしばしばさせながら壁のカレンダーを見やって、僕はようやく今日が金曜日であることを思いだした。

ベッドの上の窓に目をやる。どうりでまぶしいはずだ。窓いっぱいに、みごとな青空が広がっている。

とすると、さっきの雨は夢か……?

カチャ、と風呂場のドアが開いた。狭い部屋の中がいっぺんに石けんとシャンプーの匂いで満たされ、ドアの下から細い足首がのぞく。

僕は、微笑した。……そうだった。ゆうべは彼女が泊まったんだった。

白いバスローブだけをはおって出てきたマリコさんは、タオルで長い髪をふきながらドアを閉め、僕が目を覚まして見ていることに気がつくと、

「おはよう、涯《がい》くん」

にっこり笑った。

この瞬間が、たまらなく好きだ。大学の構内でもどこでも、彼女は僕を見つけると必ず微笑《ほほえ》んでくれる。もちろん笑った顔そのものも好きだけれど、僕は、彼女がふだんのきりりとした顔から笑顔へと変わる、その一瞬の変化を見るのが大好きだった。

素足のまま近づいて来て、マリコさんはベッドの脇にそっと腰をおろした。

「シャワー借りたわ。ごめんなさい、起こしちゃったわね」

ごめんなさい、どころか、最高の目覚ましだと言いたかったけれど、そういうセリフをぬけぬけと口に出せるほど器用じゃない。かわりに手をのばし、バスローブのえりをつかんで引き寄せる。

「……雨が降ってるのかと思った」

言いながら、キスをしようとして途中でやめ、マリコさんの頰《ほ》っぺたに鼻を押しつけてくんくんかいでみる。

「なあに？」

「マリコさん、香水変えた？」

「いいえ。どうして？」

「赤んぼみたいな匂いがする」

「ああ、ベビーローションね」と、マリコさんは笑った。「昨日、来るときにそこのコンビニで買ったの」

「ふうん」

そういえばゆうべ、僕のシェーバーの隣に、小さなピンク色のボトルがちょこんと並べられていたっけ。

初めてマリコさんとこういうふうになってから三か月がたつし、このごろでは彼女が泊まっていくのもそんなに珍しいことではなくなったけれど、部屋の中に彼女が自分のものを一つ残していくたびに、そのぶん僕はほっとする。たとえば歯ブラシとか、このバスローブとか、読みかけの本とか。それに、二人で入った喫茶店のマッチ。マリコさんはあちこちで集めた色とりどりのマッチを、ネスカフェの空き瓶にためてベッドサイドのテーブルに置いている。僕はよほど気が向いた時しか吸わないけど、彼女はベッドでメンソール入りの煙草をくゆらすのが好きなのだ。

あおむけに寝ころがったまま、僕はマリコさんの体を抱きしめた。胸の奥まで、甘い匂いでいっぱいになる。封を切ったばかりのベビーローションっていうのは悪くないよなと思う。なんていうか、未来《あした》へ続いていくって感じがして。

そうして黙っていたせいか、マリコさんは僕の顔をのぞきこんできた。

「この香り、いや？　だったら、無香性のほう買ってくるけど」

「いやじゃないよ、全然」短いキスを一つして、僕は言った。「でも、なんか、さ」

「ん？」

「なんか、小さい女の子にイケナイコトしてるみたいな気分になる」

「ばかね」

クスクス笑っていたマリコさんがふいに、あっと小さく叫び、やがて唇からせつなげなため息をもらした。

「私は小さい女の子じゃないけれど、」僕の首に腕をからみつかせながら、彼女はささやいた。「きみの手が今してるそれって……充分イケナイコトなんじゃない？」

結局、せっかく浴びたシャワーは無駄になってしまった。

仕方なくもう一度浴びて出てきたマリコさんが身じたくを整えるところを、僕はベッドに横になったまま、枕にひじをついてじっと眺めた。あっちを向いてなさいと言われようがクッションをぶつけられようが、知らん顔で目をそらさずにいたら、彼女はぶつぶつ文句を言いながら、キッチンへ行って着替え始めた。

「いまさら恥ずかしがったって、全部知ってるのにさ」

と言ったら、無言でふきんが飛んできた。

このまえ置いていった着替えの服を身につけ、マリコさんは鏡の前で、髪をくるくると結いあげてべっこう色の髪どめでパチンととめた。化粧なんてほとんどしないのに、僕をふり向いた顔はもう、よそ行きのそれだ。

「今日は授業、午後からなの？」

「うん。ゼミだけ」

「じゃ、もいちど寝るといいわ。ゆうべもバイトで遅かったんだから。起きられる？　お昼休みに電話してあげましょうか？」

「大丈夫だよ」と、僕は笑った。「ガキじゃあるまいし」

「あら、まだまだガキよ」とマリコさんは言った。「それも、とんでもない悪ガキ」

「ひってえ」

僕の額に軽くキスをして、彼女は立ちあがった。

『朝寝する人を起こすを昼といふ』ってね」

「なにそれ」

「江戸時代の川柳《せんりゅう》よ」

「あーあ、やだやだセンセーぶっちゃって」

僕が大げさに顔をしかめてみせると、マリコさんは笑って僕の鼻をつまんだ。

「それじゃ、後でまた、学校でね」

玄関のドアが、ぱたんと閉まる。

外の階段を下りていく足音が聞こえなくなってから、僕は再びごろりとあおむけになって、低い天井を見上げた。頑固な眠気が頭の真ん中でがんばっている。

目覚ましを十一時半にセットして、目を閉じた。穴のあいた舟が湖の底にずぶずぶ沈むみたいに、睡魔がたちまち僕を眠りの底へ引きずりこもうとする。彼女を抱いた後は、いつもこうだ。

そういえば、バンド仲間の直樹《なおき》が以前、ぼやいていたっけ。コトの後に眠くなるのは男の生理としてはごく当たり前の現象なのに、女どもはそれを許してくれない。「終わったらすぐ寝るなんて、私の体だけが目当てだったのね」「ほんとは愛してないんでしょ」突然そんなふうに、こっちの目が点になるような議論をふっかけてきて、決して気持ちよく寝かせてはくれないのだ、と。

〈あれって不思議だよなぁ〉と直樹は言う。〈女ってやつはさ、ついその数分前までは自分も共犯者《グル》だったくせに、終わったとたんにコロッと被害者になれるんだもんな。ほんとわけわかんねえ〉

　じわじわと、意識の輪郭がにじんでいく。窓からのそよ風に吹かれながらうたた寝するほど気持ちのいいことは、他にない。

　そのとき、カンカンカン……と外の階段を上る足音がした。少しおいてから、コツコツとドアをたたく音。

　僕はまたしても無理やり目をこじ開け、

「はい」

　しゃがれ声で答えて、ふらりとベッドから起き上がった。忘れ物をしたなら黙って入ってくればいいのに、マリコさんには妙に律儀なところがある。

　玄関のドアを押し開けた。

「なに忘れたのさ?」

　と言ったつもりが、大あくびのせいで、アイワフエハオハ、になる。ようやくあくびを引っ込め、涙のにじんだ目で見おろしたとたん――石になった。

　そこにいたのはマリコさんではなかった。

　小柄な体。でっかい瞳。細長い手足。

「うさぎ!?」

僕の声にびくりとなって、彼女は我に返った。それまではただひたすら、僕のヘソのあたりを食いいるように見つめていたのだ。

ヘソ?

(……やべ)

遅ればせながらパンツしかはいていなかったことを思い出し、

「ごめんっ」

泡をくって部屋の奥に飛び込んだ拍子に向こうずねをいやというほどテーブルの角にぶつけてうめき、涙ぐみながらスウェットの下をひっつかんで足を通す。ゆうべ脱ぎ捨てたヨレヨレのTシャツを頭からひっかぶる。ちょっと汗くさいが、この際ぜいたくも言ってられない。

「ど、どうしたんだよ、急に」肩越しにふり返りながら僕は言った。「こんな朝っぱらからさ」

玄関先で、うさぎは小さな咳払《せきばら》いをした。

「朝っぱらって、もう十時過ぎじゃない」

十時過ぎだろうと何だろうと、僕にとっては充分朝っぱらだ。だいいち、うさぎが一人で僕を訪ねてくるってこと自体、ずいぶん久しぶりなのだ。

「ったく、びっくりさせんなよな。何かあったのか?」

「別に何にも……って言いたいとこだけど」彼女はつぶやき、目をふせてつけ加えた。

「……まあ、ちょっとね」

その目が、本物のウサギみたいに赤くなっていることに僕は気づいた。

内山浅葱——うちやまあさぎ。あだ名は子供の頃から「うさぎ」だった。今となっては本名を呼ぶのは親ぐらいのものだ。

年こそ彼女のほうが一コ下だが、僕とうさぎは、小学校も中学も高校も、そして大学まで一緒という腐れ縁の仲だった。おまけに今は、同じバンドの仲間ときている。僕がベースで、うさぎがヴォーカル。ついでに言えば、彼女の双子の兄のセイジがドラムスで、ギターは僕のクラスの直樹だ。

うさぎをバンドに引き入れたのが僕だから言うわけじゃないが、彼女は持ち前のハスキーヴォイスで、めちゃくちゃすごい歌を歌う。

ショートヘアの小さな頭、濃くてりりしい眉《まゆ》、ピッとつり上がった目。

当人は自分が少年体型なのをひそかに気にしているようなのだが、このボーイッシュさとか、人におもねらない性格とか、キュートなふくれっ面《つら》とかが、彼女のいちばんの魅力だと僕は思う。たぶん、彼女のファンはみんな、そう思っているはずだ。

ただ、そういうことを言うと彼女には逆効果かなと思うし、わざわざ口にするのも気恥ずかしいので、面と向かって言ったことはない。コンプレックスなんて、誰かにひとこと調子のいいことを言ってもらったからってそう簡単に消えるはずはないんだし。

とにかく、何となくウマが合うのと、幼なじみ同士の気のおけなさで、僕とうさぎとセイジの三人は、高校を卒業するまでしょっちゅうお互いの家を行き来していた。でも、数年前にうちの親が離婚して、僕がこうして大学のそばで一人暮らしをするようになってからは、二人は（とくにうさぎは）あまり遊びに来なくなっていた。彼女は彼女なりに僕に遠慮しているのかもしれないし、あるいは、練習とバイト以外のわずかな時間に友だちと遊ぶのでせいいっぱいなのかもしれない。

いずれにしても、僕とうさぎの間に、男と女の感情はまるでなかった。幼友だちなんて、ほとんどきょうだいみたいなものなのだ。

「まあ、あがれよ。散らかってるけどさ」

言いながら、僕はすばやく部屋の中を見まわしてマリコさんの痕跡《こんせき》がないかどうか確かめた。バスローブや歯ブラシは洗面所だし、着替えは押し入れの中だ。うさぎがいきなり歯を磨かせろとか、押し入れで寝かせろとか言いださない限りはまず大丈夫だろう。

首をねじってふり向くと、うさぎは玄関の上がり口のところにつっ立ったまま、キッチンの床をじっとにらんでいた。

「何してるんだよ。早くあがれよ」

「ねえ」いつになく強い調子で、彼女は言った。「訊《き》いてもいい？」

「ああ？」

うさぎは目を上げて僕を見つめた。

「今さっき、この部屋から出てきたひと……島村先生だよね、文学部の講師の」

（げッ……）

眩暈《めまい》がした。口もきけないままつっ立っている僕に、うさぎは、その性格通りの単刀直入な質問をぶつけてきた。

「どうしてこんな朝っぱらから、島村先生が涯の部屋にいるわけ？」

やがて僕は、かろうじて声を押し出した。

「……見てたのか」

考えてみれば、間抜けな返事だ。

「べつに、見たくて見てたわけじゃないよ」と、うさぎは言った。「見たくもなかったよ」

「……ごめん」

「どうしてあたしにあやまるのよ」

「だって、見たくもなかったんだろ」

なおも何か言いかけたうさぎが、ふっと口をつぐんだ。僕の言葉につまずいてつんのめったみたいな感じだった。

やがて彼女は、ひとことずつ押し出すように言った。

「ねえ、涯。まさか、知らないはずないよね。島村先生ってたしか、」

「知ってるよ」と、僕は言った。「彼女が結婚してるってことなら」

「なら、どうして！」

僕は、黙っていた。どうしてかなんて、答がわかるなら僕のほうが知りたいくらいだった。

マリコさんのダンナは外科医をやっていて、もう二年間もニューヨークの病院へ研修に行ったきり帰ってこない。けれど、そんなことはもちろん、道徳的見地から言えば僕らの恋の言い訳にはならなかった。僕とマリコさんの関係は、世間の言葉で名づけるなら確かに「不倫」以外の何ものでもないのだ。

とにかく、うさぎを部屋にあがらせた。

僕がわざわざいれてやったコーヒーには口もつけずに、

「涯、あんた自分が何やってるかわかってんの？」

うさぎは、僕をにらみすえた。

山のようなCDとコード譜にうずもれたガラステーブルをはさんで、僕らは向かい合って座っていた。ジーンズの足を折って横に投げ出したうさぎの小柄な体から、怒りがぴりぴりと発散されているのがわかった。まるで漏電しているみたいな感じだった。

「だいたい、島村先生って今いくつよ」

「三十代のはじめ、くらいかな」と僕は言った。「もしかするともっと行ってるのかもしれないけど。はっきり確かめたことはない」

うさぎは、ぽかんと口を開けた。「あっきれた。年も知らない相手と、さっさとやっちゃうわけ？」

「お前、すごいことを平気で言うなあ」

「すごいことしてるのはそっちじゃない」

いつも以上につり上がったうさぎの目を見やって、僕は思わず苦笑いした。

「何がおかしいのよ」

「べつに」肩をすくめる。「ただ……」

「ただ、何よ」

「なにも援交とかやってるわけじゃあるまいし、セックスする前に相手の年を確かめなきゃいけないなんて知らなかったな、と思ってさ」

うさぎは、僕をにらんだまま口を結んだ。

本当は彼女自身、何か話したいことがあって僕の部屋に来たのにちがいない。一晩泣きはらしたみたいに目が赤いのとも、たぶん関係があるんだろう。でも、とてもじゃないけれど今はそのことを話せるような雰囲気じゃなかった。

「つまり、オトナの関係、って言いたいわけね？」と、うさぎは言った。「そういうのって、なんか、汚くない？」

「そうじゃねえよ」僕はきっぱりと首を振った。「そんなんじゃない。俺たちは……」

俺たちは愛し合っているんだと言いかけたものの、歯が浮きそうになってやめてしまった。言葉にするとたちまち嘘になる気がするし、愛だの恋だのというセリフは、幼なじみの前で口にするにはあまりに恥ずかしいというか、生々《なまなま》しすぎる。

と、うさぎがため息をついた。

「あたしが言いたかったのはさあ、涯。年のことだけじゃないんだよ？」僕の顔を下からのぞき込むようにして、彼女は言った。「涯は、島村先生のことを、知ってるつもりでいてもほとんど知らないってことを言ってるの。ねえ、しっかりしてよ。あんな大人の女の人から見たら、あたしたちなんてどんなふうに見えると思う？　まだほんのガキだよ、ガキ。口で何て言ったって、どうせ、ダンナさんがいない間のつなぎに決まってるじゃない」

僕は、黙って目を閉じた。

「それとも、相手が遊びか本気かの区別もつかないくらい、あの人にのぼせちゃってるわけ？」

「…………」

「涯ってば」

「………」

「ちょっと、聞いてる？」

目を開けて、うさぎを見つめる。

「わかってねえな、お前」と、静かに僕は言った。「言っとくけど、俺がマリコさんの年を知らないのは、そんなこと俺にとってはどうでもよかったからだよ。もちろん、彼女の誕生日ならちゃんと知ってるさ。好きなものだって知ってる。食べ物の好みも、好きな動物も、花も、色も、本も……。そういうことは、必死で知ろうとしたよ。彼女を喜ばせるために、絶対必要だったからな」

うさぎは、でっかい目をみひらいて僕を見ていた。

「相手が何を喜ぶかとか、何を悲しんで、何に怒るか、どういうことに笑って、どういうことなら許せないのか。ほんとうに知らなきゃならないのは、そういうことなんじゃないのか？　それにくらべれば年なんか……そうだな、言ってみれば、ホクロの数みたいなもんだよ」

「……ホクロ？」

「だから、よっぽど数える気にでもならない限り、いくつだろうが、ふだんはまるで気にならないってこと」

うさぎは、しばらく黙っていたが、やがてフン、と鼻を鳴らした。

「言うことがちがうよね。さすが文学部」

僕は、クスッと笑った。「お前こそ、さすが法学部だよ」

「なんでよ」

「頭でっかちで可愛げがねえっての」

うさぎは、ちょっと傷ついた顔をした。

「悪かったわね。ほっといてよ」

そして、あらためて長い長いため息をついた。

「ほんとに、骨まで抜かれちゃったんだね」

「お前なあ、人の話を聞……」

「聞いてたよ」うさぎはさえぎった。「もうわかったってば。あたしがいまさら何を言ったって、涯ったら、島村先生にメロメロなんだから無駄だよね」

「うさぎ……」

「いいよ、もう何にも言わないから。好きなだけ骨でも鼻毛でも抜かれてなさいよ。だけど覚えといてよ、あたしはもう言うだけのことは言ったからね。あとで泣くようなことになったって、あたしからの慰めは期待しないでよ」

「最初からしてねえよ」

「……っとにもう。バカなんだから……」

彼女は、そこで初めて目の前のマグカップに口をつけて、顔をしかめた。

「ぬ、るーい」

「当たり前だろ。早く飲まねえからだよ」

僕は立ち上がり、もう一度コーヒーをいれ直してやった。キッチンに立っている僕の背中に、うさぎが言った。

「先生にも、そんなにサービスいいわけ？」

それで、からかったつもりらしい。

「まーさか」と、僕は笑ってやった。「この程度で済むもんかよ。もう、下にも置かないおモテナシ？」

「あっそ」うさぎは、げんなりした声を出した。「きいたあたしが馬鹿でした」

熱いコーヒーを持っていってやると、うさぎは手の中で、例のマッチを入れてある瓶をくるくる回していた。

「『マッチ箱集める人は縁遠い』なんて言うらしいけど……そんなの嘘じゃない、ねえ」

僕は肩をすくめた。

「いいよ、俺らのことはもう。それよか、お前の用事は何だったんだよ」

とたんに、うさぎの顔から表情が抜け落ちた。今にも唇をふれかけていたマグカップをのろのろとテーブルに戻して、彼女は二、三度、目をしばたたいた。それきり、部屋の隅に置いてあるベースを見やったまま、いつまでたっても何も言わない。

たまりかねて僕は訊いてみた。

「もしかして、また別れちまったとか？」

「…………」

図星だったようだ。うさぎの目に、水っぽい膜が広がっていく。

「いいんだー、べつにもう。ほんとは、それほど好きってわけでもなかったし」

「こんどは何か月もった？」

「……二か月、と三日かな」

僕は、このところうさぎと行動を共にしていた男の顔を思い浮かべてみた。ちょくちょくキャンパスを一緒に歩いているのを見かけたし、ライブハウス『ヴァルハラ』に僕らの演奏を聴きに来たことも二度ばかりあったので、よく覚えている。女の子に花束を贈ることくらい平気でやってのけそうな、絵に描いたような二枚目。うさぎは昔から面くいなのだ。

「けど、それほど好きじゃなかったんなら、なんでそんなに目ぇ赤くしてんだよ」

するとうさぎは、一瞬ものすごく複雑な顔を見せ、やがてぽつりと言った。

「あたし、やっぱどこかおかしいのかな」

「あの野郎に何か言われたのか」

「ん……。まあね。あたしみたいなオトコ女とは、もうつき合えないんだってさ」

「……何だよ、それ」

——瞬間的に、頭にきた。ほんとうに、頭にきた。

うさぎに向かって、よりによって「オトコ女」だって？　うさぎがいちばん気にしていることを、そんな言葉で言ってのけた相手の男に、僕はむちゃくちゃ腹が立った。曲がりなりにもしばらくはつき合っていた女の子に、よくもまあそんな思いやりのない捨てゼリフが吐けたものだ。そう言うてめえのほうこそ、男らしさのカケラもない、めめしい「オンナ男」だってんだ、あのへなちょこ野郎が！

何度も言うようだが、僕はうさぎを女として意識したことはない。でも、それは彼女の外見や声や性格なんかとは少しも関係がなくて、ただ、あまりにも自分と近しい存在だからに過ぎない。

小さい頃は毎日、セイジを入れて三人で、外が暗くなるまで遊びほうけていた。どちらかの家で晩飯を食った後は、風呂まで一緒に入ったほどだ。もちろん、小学校高学年になってから後うさぎの裸を見たことはないが、あの頃と比べてそれほど胸がふくらんだようには思えないから、僕は今でもときどき彼女のすっぽんぽんをかなり正確に頭に浮かべて楽しい気分を味わうことができる。

先に弁解しておくけれど、それはあくまでも僕の下半身とは無縁の話だ。ただ、たとえばバンドの練習をしていてお互いの曲の解釈がくい違った時など、むきになって僕に反論してくるうさぎを眺めながらふとあの頃の彼女を思い浮かべ、何となくくすぐったいような、梅干し味のアメでも口に入れた時のような気分になって、まあこいつがそこまで言うならここは譲ってやるかな、という気になることもある……とまあ、言ってみればそういうことなのだ。

だから、たかが二か月つき合った程度の男から、うさぎが無遠慮に傷つけられたとなると、我慢ならなかった。小さかったあの頃のように、ちょっと人差し指でつついていじめただけでも泣き出してしまいそうな今のうさぎを見ていると、とにかく腹が立って腹が立って胃のあたりがむかつくほどだった。

そうして、ふと冷静になって思った。もしかすると僕は、自分で考えている以上に、いざとなったらこいつのことをほっとけやしないのかもしれない、と。

「いったい、どうしてそんな話になったんだよ?」

別れ話を持ち出すにしても、わざわざ「オトコ女」なんて口にするとは、相手の男はいったいうさぎの何にそれほど苛立《いらだ》っていたんだろう?

「うん……吉田くんはさ」

「吉田っていうのか、あいつ」

「うん」うさぎはぼんやりと畳をむしりながら続けた。「彼、二人でいるときはいつも、あたしにふだんと違う服を着せたがったんだよね」

「あンの変態野郎……！」

「えっ？」

きょとんとして目を上げたうさぎを見て、僕は自分の勘違いに気づいた。

「あ、何だ。違う服を着せたがるって、」

「何だと思ったわけ？」

「いや、その……つまり、二人きりになるとあの野郎が、お前に無理やり妙な服装させるって意味かと思ったんだよ。ほら、アダルトビデオなんかでよくあるじゃん。女に看護婦のカッコさせたりセーラー服着せたりするうちにこう、ムラムラきてガバッと、みたいなやつ」

「涯」しらけた顔で、うさぎは言った。「ずいぶん詳しいじゃない？」

僕は頭をかいた。「いやぁ、それほどでも……」

「誰がほめたのよ」

うさぎはそれでも、ようやく少しだけ笑った。しぶしぶという感じではあっても、笑顔は笑顔だった。

「ってことは、」内心ほっとしながら、僕は言った。「お前がこないだまで時々、オンナオンナした似合わねえカッコで学校に来てたのは、ありゃ吉田のリクエストにお応《こた》えしたわけだな?」

「やっぱり……似合ってなかった?」

「あたり前じゃん」と僕は言った。「お前ってば、せっかくスカートはいても、歩き方とか仕草はいつものジーンズの時とおんなしなんだもん。大股ですたすた歩くし、のどチンコ見せて笑うしさ。花柄のワンピース着て、肩で風切って歩いてどうすんだよ」

うさぎは、うつむいてスン、と洟《はな》をすすった。

しまった、言い過ぎたかな、と思ったが後の祭りだった。いつもこれだ。率直であろうとすると、つい言わなくてもいいことまで言ってしまう。吉田の野郎を、思いやりがないなんて言えた柄ではないかもしれない。

「あれでもさあ、あたしなりに努力はしてみたんだよ」と、うさぎは言った。「膝《ひざ》の破れたジーンズとか大嫌いだって言うから、まずは形からかなと思って、らしくもなくバイト代はたいてスカートなんて買っちゃってさ。バカみたい」

「充分、らしいよ」と僕は言った。「お前は昔からバカだったさ」

「………」

「飲めよ、コーヒー。また冷めちゃっても、もういれ直してやらねえぞ」

うさぎは、いつものふくれっ面でマグカップを口に運んだ。やっと少し落ち着いた様子で、今日ここへ来てから初めて部屋の中を見まわす。

「……ふうん」

「何だよ」

答えずに、彼女は六畳の狭い部屋のあちこちを眺めまわした。

ビデオデッキやチューナーが積み重なった、銀色のエレクターシェルフ。うっすらほこりのたまった黒いカラーボックスの上には、ありとあらゆるものがぐちゃぐちゃにのっている。ボールペンのキャップや、ねじ回しや、ちびた鉛筆や、道端でもらったテレクラの広告入りのティッシュ、音叉《おんさ》や、切れたベースの弦……などなど。そして、まるで泥棒に入られたみたいに畳一面に散らばったCD類と音楽雑誌、赤と青の接続コードをつないだアンプ、脱いで裏返ったままのトレーナー、カーテンレールに引っかけて干してあるゴムの伸びた靴下……。

そういうものをひと通り眺めわたしたあとで、うさぎは再び、「ふうん」と言った。

「だから、何が言いたいんだよ」と僕。

「ここまでくると、すでに芸術の域だね」

「汚ねえなら汚ねえと、言えよストレートによ」

うさぎはクスリと笑って僕を見た。

「島村先生は、片づけたりとかしてくれないの？」

「お互いのプライバシーには干渉しないことにしてる」

「へえ。そういうのってつまらなくない？」

「何言ってんだよ。お前なんか、いつも干渉されすぎてダメになるくせに」

うさぎは、小さな口をへの字に曲げた。少しだけツンと上を向いた鼻が、何となく小生意気な感じで愛嬌《あいきょう》がある。

「中学の制服以来なんだよね」

「なにが」

「スカート」

そう言われてみればそうだ。僕らの高校は私服だったから、彼女はいつだってジーンズだった。

「買う前に、一応試着するじゃん。お店の人は、しらじらしくほめるんだよ、『あらぁ可愛い。よくお似合いですよぉ』なんてさ。でも鏡見ると、自分でもぜんっぜん似合ってないってわかンの、カカシが服着て立ってるみたいで。情けないよね、女に生まれて女のカッコが似合わないなんて、そんなのあんまりだと思わない？」

「その髪型のせいじゃないのか？」

と、僕は言ってみた。

「ちがうよ。あたしより髪が短くたって、女らしく見える人は見えるもん。それに、あたしが髪をのばしたとこなんて想像できる？　セイジがかつらかぶって女装したほうが、まだ似合うって」

「ばか。んなことねえよ」

「いいってば、慰めてくれなくても。自分のことは自分が一番よくわかってるもん」

意地っ張りの彼女のことだ。たしかに、こんなふうに慰められるのはプライドが許さないのかもしれない。それならどうしてわざわざこの部屋に来たかと言えば、ただ、誰かに黙って悩みを聞いてほしかったからにきまっている。その気持ちはまあ、わからないでもなかった。

――自分のことは自分が一番よくわかってる、か。

慰めなんかじゃなく、僕はうさぎに長い髪が似合わないとは思わないのだが、本人がここまで頑《かたく》なに思いこんでいる以上、はたから何を言ったって始まらない。案外、自分のことを一番わかっていないのが自分だったりするものじゃないかと思うのだけれど。

そして、こうも思った。彼女がなかなか「女らしく」ふるまえないのは、それが性格というだけじゃなくて、生まれた時からセイジが――よく似た顔を持つ異性が、あまりにも身近にいすぎたせいもあるのかもしれない。

「で?　服装倒錯の吉田クンがどうしたって?」

ぽつりぽつりとうさぎが話してくれた内容を要約すると、こういうことになる。

吉田の野郎は、とにかくうさぎに女っぽい格好をさせたがった。古着の革ジャンと男物のジーンズとか、襟ぐりの伸びたTシャツとだぶだぶのオーバーオールとかいった「小汚い」服装ではなくて、ワンピースとか、ブラウスとスカートとか、あるいはたとえパンツスタイルであってもせめてきちんと見えるようなきれいめの格好を彼女にさせたがったのだ。見かけによらず、古いタイプの男だったらしい。

うさぎは初めのうち一生懸命にそれに応えようとした。彼の見立てた小花模様のワンピースも着てみたし、自分でもがんばってスカートをいくつか買ってみた。

ところが、どうにも落ちつかない。着ている間じゅう足の奥がスースーして、本人の表現を借りるなら「初めて女装したオカマ」みたいな気持ちになる。パンツでさえ、なまじきちんとしているだけに、シワや汚れや膝が出ることなんかを気にしていると肩がこってイライラしてくる。

そこで、こんなことはやめたい、自然体でいたいのだと吉田クンに言ってみると、彼は怒り出し、なおも言い合っているうちにとうとうキレてしまった。オレのことを好きなら、オレ好みの女になろうと努力するのが当たり前じゃないか。ほんとはオレのことなんか好きじゃないんだろう。見た目や性格や声だけの問題じゃなくて、お前はきっと、女としてどこか欠陥があるんだ、このオトコ女。……そう言われたそうだ。

「男って、みんなそういうもの?」と、うさぎは言った。「みんな、女らしい女が好きなの?」

「そうとも限らないさ」

「でも、島村先生はすごく女っぽいよね」

「そりゃ結果論だろ。女っぽいから好きになったわけじゃなくて、結果的にたまたまそういうタイプだっただけだよ」

うさぎは、横に投げ出していた足を引き寄せ、ひざを抱えて、ふう……とため息をついた。

「どうして、このままじゃいけないんだろ」と、小さな声でつぶやく。「あたしはあたしなのに。見た目がどうだろうと、女以外の何ものでもないのにさ。生理だってちゃんと毎月あるし、赤ちゃんを見れば可愛いなって思うし、いい男が歩いてれば目で追っちゃうし、好きになる相手だっていつも普通の男だよ？　それってつまり、あたしが普通の女だってことじゃない？」

「まあ、そうだろうな」

「なら、どうして？」うさぎは顔を上げて、僕を見つめた。「今まで何人かとつき合ったけど、いっつもそうだった。歯ぐきを見せて笑うのはよせ、とか、もう少し高い声でしゃべってみれば、とか、女のくせに生意気だとか、俺好みの女になれとかさ。そうやっていろいろ言われてるうちに、いつもあたしのほうがキレてダメになっちゃったんだよね。ねえ涯、どうしてなんだと思う？　どうして誰も、ありのままのあたしを見てくれないんだろう？」

うさぎの気持ちは、痛いほどわかった。吉田の野郎の言いぐさには、僕だってつくづくはらわたが煮えくり返る。

にもかかわらず……僕は、うさぎの言っていることにもどこかしら落とし穴があるような気がしてならなかった。

ありのままのあたし。ありのままのうさぎ。それって、いったい何だ？

でも、そのことをいったいどういうふうに言いあらわせばいいのかが、どうしてもわからなくて、僕は結局なにも言えないでいた。自分にもわからないことを人にわからせようなんて、無理にきまっている。

「でも、そもそも別れ話の発端はね」と、うさぎは言った。「吉田くんが、あたしとエッチしたがったことなの。二か月もつき合ってて、しないなんておかしいって」

「ああ？」と、僕は思わずすっとんきょうな声を出してしまった。「なんだお前ら、まだやってなかったのか？」

うさぎは眉をひそめた。「サイテー」

「ごめん」僕は笑ってごまかした。「しっかしあの野郎もとんでもねえな。あんなすましたツラしやがって、頭ン中はやることばっかなんじゃねえか」

「涯はさ、島村先生と知り合ってどれくらいでそうなったの？」

「え……その……。三……週間？」

うさぎは目を丸くし、それからプッとふき出した。「説得力なぁーい」

「うるさいなあ」と僕は言った。「早いも遅いもねえんだよ。お互いがほんとにそうなりたいと思ったのがその時だったんだから、仕方ねえじゃん」

「うん……それは、説得力ある」

ふん、と、僕は鼻を鳴らした。

うさぎは、僕を見つめて言った。

「教えて。島村先生とは、いったいどうしてこういうことになったの？」

一瞬、ぜんぶ話してしまおうかと思った。というか、話してしまいたいと思った。その衝動のあまりの強さに、自分でもびっくりしたほどだった。相手が家族にしろ、友だちにしろ、とにかく誰かほかの人間に自分のことを聞いてもらいたいなんて思った経験は、これまでの僕にはほとんど一度もなかったからだ。誰にも言えない恋——というのは、ふだん意識していなくても、けっこうなストレスになっているものらしい。

黙っていると、うさぎが言った。

「よっぽど言えないようなことなわけ？」

「そうじゃないけど」

僕は、なおもしばらく考えた末に、結局こう答えた。

「ま……そのうちな」

うさぎが、みるみるふくれっ面になる。

「なんだよ、どうして怒るんだよ」

「怒ってなんかいないわよ」

「うそつけ。すぐわかるぜ」

「なんでよ」

「目がつり上がってる」

うさぎは、ぷいっと横を向いた。

「口もとんがってる」

きゅっと唇を横に引き結ぶ。

「鼻は上向いてるし」

「ちょっと涯……」

うさぎが向き直った。

「そばかすまで浮いてる。あ、悪い、そりゃもとからか」

テーブル越しに宙を飛んできた楽譜を、僕はあぶないところで首をすくめてよけた。うしろのキッチンの床にバサリと落ちる音がする。

ったく、こいつといいマリコさんといい、女って、どうしてこう物を投げるのが好きなんだろう?　と思っていたら、うさぎが言った。

「男って、どうしてそう人が気にしてることを平気で言えるわけ?」

うさぎの抗議を聞き流し、僕はごろんと寝転がって這《は》いずりながら手を伸ばした。市松《いちまつ》模様のキッチンの床に落ちていた楽譜を、すり切れた端っこをつまんで引き寄せる。立つのが面倒くさい、というか、この狭い部屋では、いちいち立ち上がらなくてもずるずる這うだけでほとんどの用事が足りてしまう。こんなことばかりしてると、そのうち朝起きてみたらカタツムリにでも変身しているかもしれない。

よっこらせと再び起き上がった僕に、

「ねえ、そのうちなんてケチくさいこと言わないでさあ」うさぎは懲《こ》りずに言った。「話しちゃえばいいじゃん、なれそめくらい。ね。あたしだっていろいろグチっちゃったんだから、今度は涯のを聞いたげる」

僕は、ことさらにゆっくりと、首を横にふってやった。「いくら俺でも、彼氏に捨てられてすぐの女の子にそんな無神経なことは……」

「誰が、捨てられたって?」

「わッよせ!」

うさぎがこんど手に取った楽譜の分厚さに、僕はとっさに頭をかかえこんでかばった。

「……何やってんの?」

「え？　ああ、なんだ、また投げるつもりかと思った」

「投げるわけないじゃん、まさかこんなもの」

いばれるかバカ。厚さが四センチもある『最新ヒット曲大全集』だぞ。

僕は、ため息をついた。

「わかったよ、話してやるよ、もう。……ったく、ついさっきまであんなに落ち込んでたお前はどこいっちゃったんだよ」

「それとこれとは別」

もう一度ため息をついて、僕は、言ってやりたいあれこれをのみ込んだ。まあ、そんなにうるさく言ってやることもないか。うさぎが、いっときでも憂《う》さを忘れてくれるのはいいことに違いないんだし。もしかすると、吉田の野郎を「そんなに好きでもなかった」という彼女の言葉は、あながち嘘ではないのかもしれない。

「そのかわり、ほんとになれそめだけだぜ」

「わかってる」

うさぎが座り直す。

「じつはさ」

「うん」

「去年の暮れの、ゼミのコンパの時さ」

「うん」

「マリコさんも、たまたまそこにいてさ」

「うん、うん」

「俺、つい、彼女の膝にな」

僕が声を低くすると、うさぎが顔を寄せてきた。「膝に……どうしたの?」

「ゲロ吐いちゃったんだわ」

「………」

「それがなれそめ」

うっかり、よけそこねてしまった。

「痛ってぇっ!」

たまらず後ろへのけぞって転がりまわりながら、両手で額を押さえて僕はわめいた。

「お、お前、たったいま投げないっつったじゃないかよッ!」

「なーにさ、大げさなんだから」

「バカ、ほんとに痛てぇんだよ!」

本の角が額にぶつかったとたん、目から火花が散るのが見えたほどだったのだ。

あんまり頭にきたので、僕はつい言ってしまった。

「お前が『それでも女か』って言われんの、これじゃ当たり前だよ」

うさぎの目がみるみるきつくなった。

「自分がいけないんじゃない」

「俺が何したってんだよ」

「とぼけないでよ！」うさぎはぴしゃりと言った。「人がまじめに聞いてれば。……あんたってばいつもそう。いつもいつも、人のこと茶化《ちゃか》してばっかりでさ」

「茶化す？　俺がいつ……」

「もう、いい」うさぎは、妙にきっぱりと言った。「もうけっこう。そうやって好きなだけつまんない冗談言って、一人で勝手に面白がってれば？」

「だから、冗談なんか言ってねえってば」

うさぎはとうとう立ちあがると、

「バカ言わないでよ！」上から僕をにらみおろした。「だいたい、なんでゲロから恋が生まれんのよ！」

「そんなこと言ったたって……あ、おい、ちょっと待てよ、何でそんなにカッカすんだよ。わけわかんねえよ」

けれどうさぎはそれ以上口もきかずに玄関へ行き、

「待てってば……なあ！」

さっさと靴を履いて、

「おい、うさぎ！」

バターン、とドアを閉めて出ていってしまった。

階段を下りていくとんがった足音を聞きながら、僕は、口の中でチキショー、とつぶやいた。何だってんだ、いったい。

ひょいと首を伸ばして、彼女に出してやったマグカップの底をのぞき見る。

……ふん。コーヒーだけは、しっかり飲んでいきやがって。

ズキズキするおでこをなでさすりながら、かたわらに落ちている分厚い『大全集』を見やる。

……しねえぞ、ふつう。

危なくて手の届く範囲に物を置いとけないなんて、うさぎめ、おめーはハイハイしたての赤んぼか？

2

こう見えても僕は、一年の時からけっこうコツコツ授業に出ていたから、三年の今はもう一般教養課程で取るべき科目はたいして残っていない。教職も取っていないので、専門科目もそう多くはない。週に四日も学校に来ればいい。

けれど、そんな真面目《まじめ》な僕でも、今日みたいにたらふく食った後にプラタナスの並木道に面した風通しのいい教室で授業を受けていると、まぶたが重くなってふさがってくるのをどうしても我慢できない。学食の冷やし中華は麺《めん》がすっかり伸びていて、まるでふやけたゴムをかんでいるような味気なさだったが、それでも、食えば食っただけ腹は満たされるし、眠気は増すようにできている。

いつのまにか熟睡してしまい、まわりがガタガタと立ち上がる音にハッとなって目覚めると……誰にでも一度くらいは覚えがあるんじゃないかと思う。広げたノートの上にはヨダレがたれて、悲惨な状況を呈していた。ティッシュだのハンカチだのといった気のきいたものは持って歩いたこともなく、僕は仕方なしにノートをぱたんとそのまま閉じて、デイパックの奥につっこんだ。

Tシャツの袖で口もとをぬぐって目を上げると、黒板を端っこまで消し終わったマリコさんが、テキストを胸にかかえて教壇からおりてくるところだった。

最後の生徒が教室を出ていったのをちらりと横目で確かめるなり、マリコさんは通りすがりに手を伸ばして、僕の耳をぎゅうっと引っぱった。

「いてててて」

「私の授業で鼻ちょうちんふくらますなんて、いい根性してるじゃないの」

「ごめん」と、僕はできるだけ殊勝な顔をしてあやまった。「ずいぶん抵抗したんだけど、睡魔には勝てなかったんだ」

マリコさんはツンとあごを上げて僕を見下ろした。

「退屈な授業で悪かったわね」

「そんなんじゃないってば」と、慌てて僕は打ち消した。「だいたい、ゆうべろくに寝かしてくれなかったのはマリコさんじゃあいてててててて、わかった、もう言いません」

マリコさんはクスッと笑って手を放した。

「今日はバンドの練習、何時に終わるの？」

「たぶん七時過ぎ、かな」

「そう。じゃ、今日はそのまままっすぐ帰って、一人で心ゆくまでおやすみなさい。私は行かないでおくから」

心ゆくまで眠る……。なんて甘美な響きだろう。

このところ、僕の睡眠時間はぎりぎりまで削られている。バンドの練習に加えて、バイト先のガソリンスタンドで遅番も引き受けるようになってからはなおさらだ。人間、何も食べなくても飲み水さえあればかなりの間生きられるそうだが、一睡もしなければ三日かそこらで気がおかしくなると聞いたことがある。そのことを、僕はそろそろ体で思い知りつつあった。

それでもやっぱり、一人で眠りをむさぼるよりは、たとえ窮屈でも、狭いベッドでマリコさんを抱いて眠るほうを選びたくなってしまうのだ。

「いいよ、来てよ」と、僕は言った。「何時になってもかまわないからさ」

マリコさんは、唇の両端をきゅっと上げて微笑んだ。

「そのかわり、また私のせいで寝られなかったなんて言わないでよ」

「そんなこと、一言も言ってないじゃないか」と僕は言った。「ゆうべだって、寝られなかったんじゃなくて寝かしてくれなかったって言ぃいいいてててて、わかった、もう言いません」

女と違って、僕ら男はふつう、自分がいまどんな恋をしているかを友だちにあまり詳しく話したりはしないものだ。

それなのに、先週うさぎから訊かれたあの時、僕が一瞬洗いざらいぶちまけてしまいそうになったのはやっぱり、マリコさんと僕との間柄が堂々と人に言えるものではないということと無関係ではないと思う。うさぎがああして僕に悩みを聞いてほしがったように、それも別にアドバイスを求めてというわけではなく、ただ黙って聞いてくれる相手として僕を選んだように、ほんとうは僕もまた、マリコさんとの恋についてうさぎに何もかも話してしまうことで少しでも気持ちを軽くしたかったのかもしれない。

不倫――。

すでに結婚している人と恋愛すれば、その関係は世間ではそう呼ばれる。

そんなんじゃない、心から好きになった相手がたまたますでに結婚していたというだけで、まるで罪をおかしているかのように言われるのは心外だ……なんて、いくら僕が言い張ったところで、ただの自己弁護に過ぎない。現実は変わらない。

この世でいちばん甘やかで、うっとりするくらい僕を幸福にさせてくれるものが、同時にこの世でいちばん苦くてつらいものにもなりうるなんて――そんなこと、マリコさんを一度でも腕に抱く前には想像してみたこともなかった。

こういう、どうにもできない思いを積みかさねていくことが大人になるってことなら、いっそ大人になんかなりたくなかったな、と思ってみる。あるいは、こんなふうにいちいち悩んだり痛みを感じたりすること自体が、僕がまだ図体ばかりでかいガキでしかないことの証明なのかもしれないけれど。

ふっと目をさますと、ベッドの端でひざを抱えたマリコさんが、しらじらと明けてゆく窓の外をぼんやり眺めていた。

彼女は僕のパジャマの上半分だけを着ていて、大人の女性特有の色っぽい足と、色っぽい腕と、色っぽい首筋が僕の目を射る。彼女が僕の寝顔ではなく外を眺めていたことが少し不満で、僕はしばらく息をひそめたまま、その横顔を盗み見ていた。

正真正銘の「大人」であるマリコさんは、ふだん、僕との関係にあんまり悩んでいるようには見えない。悩んでいるとしても、僕にはそれを見せてくれない。僕に許されているのはせいぜい、こんなふうに明け方に起きあがって窓の外を眺めているマリコさんをこっそり盗み見て、いま誰のことを考えているんだろうと気をもむことくらいだ。

マリコさんからは、生活の匂いがまったくしない。ニューヨークにいるダンナからは電話もかかるだろうし、たまには戻ってくることだってあるだろうに、僕に対しては、ほんとに鮮やかとしか言いようがないほど、ダンナの影を感じさせないのだ。

だから僕は、ときどき彼女が結婚してるってことを忘れてしまいそうになる。マリコさんとの関係をいまいち「不倫」だと自覚しきれないのは、自覚したくないから、という理由のほかに、そのせいもあるんだと思う。


じつのところ、僕らがこうなったそもそものきっかけはといえば、まったくうさぎに話したとおりだった。うさぎは信じてくれなかったけれど、僕は冗談を言ったのではなかったのだ。

去年の暮れにゼミのコンパがあったとき、大学の近くのその店ではたまたま別のゼミもコンパをやっていて、そこにマリコ先生も来ていた。不覚にも飲みすぎて気分が悪くなった僕は、よろよろ立ち上がってトイレへ行こうとしたのだが、入り乱れて騒ぎまくる学生たちで通路はむちゃくちゃ混んでいて、僕の我慢はトイレにたどり着くずっと手前で限界を越え、汚い話だが、とうとう途中で食べたものをぶちまけてしまった。あろうことかそれが、通路側に座っていたマリコ先生の膝の上だったというわけだ。

店のトイレで洗ってびしょびしょのスカートをはいたままのマリコ先生が、連れの人たちに先に帰ると言った時点では、僕はまだ少し酔っていたにちがいない。でなければ、「送っていかせて下さい」だなんてあんな大胆なこと、言いだせたはずがないからだ。

けれど、店を出たとたんにマリコ先生は寒さでガタガタ震えはじめた。急遽《きゅうきょ》僕の部屋に寄ることになり、二人してキャンパスから十分ほどのこの部屋にたどり着く頃には、酔いはどこかへ吹っ飛んでしまっていた。

入れ替わりに襲って来たのは、ひどい頭痛と、何てことをしでかしたんだという自責の念だった。こともあろうに、憧れのマリコ先生の膝めがけて吐いてしまうとは。美人で頭がよくて話のわかるマリコ先生は、カビのはえた言葉で言うならば、僕ら文学部の男どものマドンナだったのだ。

ああもう、どうせぶちまけるならどうしてその隣のハゲ頭にしておかなかったんだ。気が動転しててよくは覚えていないが、あのハゲ具合は確か近代文学の野田だった。相手が野田なら、ゼミの連中から後で大いに拍手喝采《かっさい》されただろうに。

考えてもどうしようもないことをぐるぐる思い巡らしながら、急いでストーブをつけ、こたつのスイッチも入れた。スカートやブラウスばかりか、長い髪にまで被害が及んでしまっていたので、僕は平謝りに謝って、シャワーも浴びてってもらうことにした。

その間に、押し入れからかろうじて洗ってあったジーンズとネルのシャツ、それに比較的くたびれていないセーターをひっぱり出して、洗面所の脱衣かごの中にそっと置いた。シャワーの音がしていた。ドアをたった一枚へだてたところにあのマリコ先生がいて、おまけに裸で、今頃は全身を石けんの泡で包んでいるところだと思っても、興奮なんかしている余裕はなかった。部屋の中をうろうろ歩きまわったあと、ほかにすることもないのでコーヒーをいれていると、やがてドアが開き、洗い髪を肩にたらしたままのマリコ先生が出てきた。さっきまでコートの襟元に巻いていた高そうなスカーフをベルトの代わりにして、ジーンズのすそは折り上げている。ぶかぶかのワイン色のセーターが、なかなか良く似合っていた。

コーヒーを飲みながら、少し話をした。ダンナさんと遠く離れて暮らしていて、年に一度か二度しか会えないということを知ったのは、そのときだった。

一杯飲んだだけで、マリコ先生は立ちあがった。僕はもちろん送っていくと言ったのだけれど、笑って断られてしまった。

服は近いうちに返すわねと先生は言い、そして実際一週間ほど後に、洗ったものをわざわざ部屋まで返しに来てくれた。学校で返そうにも、僕がひどい風邪をひいて授業を休んでしまっていたからだ。

熱のなごりでぼーっとなった頭で、目の前の彼女が現実なのかどうか考えている僕を、マリコ先生は心配そうに見あげながら言った。

「まさか、私がこのセーターを借りちゃったせいで風邪ひいたんじゃないわよね」

「そのまさかです」

「やだ、うそ」

「うそです」

病人なんだからと遠慮する先生を無理に誘って上がってもらい、こたつで、また僕がいれたコーヒーを飲んだ。

これ、おいしいわね。よかった。豆はどこのを使ってるの。スーパーで売ってる普通の豆ですよ。そんなどうでもいい話をして、やがて帰ろうとするマリコ先生がブーツの靴ひもをかがんで結んでいるその隙《すき》に……僕はとっさに、手近にあったCDを一枚取って、彼女のバッグの中にするりと忍び込ませた。

深く考えたわけじゃなかった。

ただ、それまでの一週間、彼女のところに僕の服がある間じゅう感じていた不思議な幸福感を——彼女と何らかの形でつながっているという幸福感を——もう少し味わっていたいと思っただけだった。

もちろん、しばらくして正気に戻ってからは自己嫌悪のどん底に落ちこんだ。CDを見つけたら彼女はいったい何と思うだろう、気味悪く思うんじゃないだろうか……そんなふうに考えると、時間を巻き戻してやり直したいくらいだった。考えているだけで胃が痛くなった。

マリコ先生がCDを返しに来たのは、それからさらに一週間ほど後だった。風邪からどうにか立ち直った僕はもう普通に授業に出ていたのだが、ある朝、ノックの音にドアを開

けてみると、そこに彼女が立っていたのだ。パジャマ姿で歯ブラシをくわえたままの僕の鼻先に、

「おはよう」

マリコ先生は、まるで刑事が警察手帳を見せるみたいにしてCDをひらりと突きつけると、フフ、と笑った。

「けっこう渋いの聴くのね」

そこで初めて僕は、自分があの時とっさに手に取ったCDが何だったのかを知ったのだった。プロコル・ハルムのベストアルバム。『青い影』が入ってるやつだ。

どうしてこんなものを黙ってバッグに入れたのか、という、本来ならば訊いて当然のはずの問いを、彼女は口にしなかった。ただ、

「よかったら、何かほかのも貸して」

と言っただけだった。

少し、気抜けしてしまった。実際にわけを訊かれればそれはそれで困ってしまうのだけれど、それにしたって、ちょっとくらいは気にしてくれたっていいじゃないか。

とにかく、彼女はその週、もう一度僕の部屋を訪れて、また新しいCDを借りていった。

さらにその次の週からは、もっと頻繁に（つまり一日置きくらいに）寄っていくようになった。僕が学校やバイトに出かけるのはたいてい午後からだったし、マリコ先生の授業も

多くが午後に入っていたから、来るのはいつも午前中だった。

本当を言うと、内心、僕はずいぶん戸惑っていた。

もちろん、ずっと憧れていたマリコ先生にそんなふうに来てもらえて、嬉《うれ》しくないわけはない。でも、曲がりなりにも男（しかも教え子）の部屋に、女一人で平気で遊びに来るなんて、いったいこのひとはどういうつもりでいるんだろう？　と、そんなふうに思わないでもなかったのだ。

気になって、一度、さりげなく訊いてみたことがあった。

「こんなふうに、ちょくちょく学生の家に遊びに行ったりするんですか？」

するとマリコ先生は、けげんそうに眉を上げて僕を見た。

「それ、どういう質問？」

裏にある意図を見透かされてしまった気がして、僕の心拍数は急にはねあがった。

「いえ……ちょっと、訊いてみただけなんスけど」

「そう。じゃ、正直に言うわ」マリコ先生は、目元だけでふっと笑った。「これが初めてよ。私、そんなに自堕落な女に見える？」

僕は慌てて首を横にふった。

「まさか。そんな意味じゃ」

「それとも、無防備すぎる？」

「いや、そんなことないです」

でも、後のほうのは嘘だった。

僕の目から見ると、マリコ先生は、あきれるほど無防備だった。ただし、決してわざと隙を見せてるような感じではなくて、まるで僕のことを血のつながった弟か、でなければカボチャか何かだとでも思ってるんじゃないかと疑いたくなるくらいの、あまりにもあっけらかんとした無防備さだった。

不思議なことに彼女の場合は、無防備さがそのまま色っぽさにもつながっていた。きわどいヘアヌードのグラビアなんかよりも、マリコ先生が無造作に髪をかき上げる仕草とか、唇を軽くかんで何かを考えている横顔とか、CDラックの前で横座りしているときの足首の細さなんかに、僕は不意打ちをくらったようにハッとすることがあった。

彼女が借りていくCDの多くは、新譜ではなくて、かなり懐かしめのやつだった。たとえば、ドン・ヘンリーとか、レオン・ラッセルとか、ケイト・ブッシュとか、ライ・クーダーとか、スティーリー・ダンとか……。僕の部屋で何曲か聴いていくこともあったけれど、そんなとき彼女の目は、窓の外の葉っぱを落とした木々や、白っぽい冬空へと向けられていた。

「音楽の力って偉大よね」

外を見ながら、マリコ先生はぽつりと言った。

「こうして、懐かしい1《ワン》フレーズを耳にするだけで、あの頃の街の景色や気配がくっきりよみがえってくる。それを聴いていた時の自分がどこにいて、何を着ていたかまで思い出せるの。そんな力を持ってるのは、音楽のほかには香りしかないわよ、きっと」

「香り……ですか？」

訊き返すと、彼女はようやく、テーブルの向かいの僕に視線を戻してくれた。

「そう。だって私、まだ覚えてるもの。初めて好きになったひとが、いつもつけてた香りのこと。だから、街角で同じ香りとすれ違うと、いまだにドキッとする」

そんなことを言われると、僕だってドキッとしてしまう。マリコ先生が初めて好きになった人って、いったいどんな人だったんだろうと、僕は果てしなく想像をめぐらせて、少し嫉妬《しっと》した。

おそらく、この時にはもう、僕は彼女のことを好きになり始めていたのだと思う。一緒に過ごした時間がそうしてだんだんと積み重なっていくうちに、「憧れ」と「好き」との境界はいつのまにか滲《にじ》んで溶けあってしまっていた。

僕の部屋に来るたびに、マリコ先生はまるでそれが儀式ででもあるかのように、同じ言葉を口にした。

「朝からあんまり邪魔してもいけないし。このコーヒー頂いたら帰るわね」

それに対して、僕は僕で必ずこう答えるのだった。

「いえ、どうせ俺、ヒマなんですから。ゆっくりしてって下さい」

あとから考えてみると、あの時の僕は、じつは幸せの真っ只中《まただなか》にいたんじゃないかという気がする。マリコ先生の言葉を勝手に深読みしては熱くなり、自分の言葉が曲がって伝わったんじゃないかと悩んでは寝不足になる……。恋ってやつは、もしかして、これから始まろうとする時のあのアンバランスな時期こそが、いちばん幸せなものなのかもしれない。

でも、マリコ先生にそんなふうにリラックスされればされるだけ、僕はうかつに行動に出ることができなかった。親しくなったそもそものきっかけがあんなにひどかったのだから、もはや怖いものなんか何もなさそうなものだが、僕はいつまでたっても、おそれ多くて彼女に指一本触れることができずにいた。

来るたびに彼女が借りていくCDだけが、まだ明日があることを保証してくれる絆《きずな》だったから、僕は必死で彼女の好きそうなものを探し出してきては次々に貸してやった。おかげで、ひと昔前あたりの音楽事情にずいぶん詳しくなった。もちろん、そういうあれこれは、バンドで曲を作っていく上でも大いに実になってくれていた。直樹たちからも、「涯、すごくよく勉強してるじゃん」なんてほめられてしまって、動機が不純だった僕はなんだか面映《おもは》ゆかった。

あのマリコ先生が僕の部屋に出入りしているなんてことは、誰にも話さなかった。もったいなくて、話す気になれなかったのだ。秘密なんてものは、分け合う人数が少なければ少ないほど、甘やかに発酵していくものなのだから。

初めてマリコ先生とキスをしたのは、彼女が最初にこの部屋に来たあの日から、まる三週間ほどたった朝だった。

一緒にこたつに入って、僕らは、再結成されたイーグルスのライブを観ていた。アンプラグドの静かな演奏だったけれど、かの名曲『ホテル・カリフォルニア』の新アレンジなんかもう、鳥肌がたつくらい粋《いき》で、ドン・ヘンリーは補聴器らしきものを耳につけていたが、その歌はますます円熟味を増していた。

「こういう年の取り方をしたいよなあ」

僕がそうつぶやくと、考えることがオヤジくさいと言ってマリコ先生は笑った。彼女はこたつ板の上に頬杖《ほおづえ》をついていた。柔らかなグレーのセーターがよく似合っていた。

「涯くんたちのバンドは、アコースティックなものはやらないの?」

「いえ、やりますよ。時々は」

「何か弾いてみて」

「ベースの俺に、一人で何を弾けってんですか」

そろそろ、試験が近かった。問題を作成するための徹夜続きで、マリコ先生はよほど疲れていたらしい。そのうちに、こたつのテーブルにつっぷして、うたた寝を始めてしまったのだ。

右側の辺に座っていた僕は、最初のうち、ライブの画面と交互に、ちらちらと彼女の様子を眺めていた。

だんだん眠りが深くなるにつれて、彼女は組みあわせた腕の上に頬をのせ、顔を僕のほうに向ける形になった。半開きの唇から、白い歯並びがかすかにのぞいている。さっきほどいた長い髪が、こたつ板の上から流れるようにこぼれていた。

僕はやがて、画面を観るほうは完全に放棄した。たとえ目は向けていても、意識はどうせマリコ先生に行ってしまっているのだ。

そろそろと前かがみになって、テーブルの端にあごをのせる。お互いの顔はもう、三十センチと離れていない。

心臓がバスドラムみたいにドッドッと鳴り響く。その音でマリコ先生が目を覚ましてしまうんじゃないかと思うと、ますますどきどきしてくる。緊張のあまり、気分が悪くなりそうだった。

感覚がへんにとぎすまされて、ドン・ヘンリーが歌っているバラードが、画面を観ていた時よりもかえってはっきりと耳に届く。

Forgiveness, forgiveness,

Even if, even if,
You don't love me anymore……

こんなにもアコースティックな静かな歌で、こんなにも聴く者の胸を揺さぶることができるなんて、こいつらはやっぱりすげえ、と思う。やっぱりすげえと思う僕がいる一方で、目の前にあるマリコ先生のぷっくりとした唇に心臓をばくばくいわせてる僕がいる。

なおもしばらく寝顔を眺めていた後、僕は、意を決して、彼女の唇に自分のそれを近づけていった。あとほんの数センチで唇が触れ合うというところで、息をとめる。びっしりとそろった長いまつげが、なめらかな頬に青い影を落としている。

青い影、か……。プロコル・ハルムの『青い影』のイントロは、ええと、どんなだったっけかな。いや、いかん、こんなことを考えてる場合じゃない。

集中しようとすればするほど、どんどん妙なことが気になって、ようやく僕がマリコ先生の唇に意識を集中できたときには、止めていた息のほうがすっかりもたなくなってしまっていた。

かがみこんでいた体をさっと起こして、ゼエゼエ息をつく。

ああああ情けねえっ。寝てる隙にキスしようとするのも情けないけど、それさえもできないってのは、もっと情けないいんじゃないか？

だけど、どうしようもない。これが俺なんだ。やっぱりマリコ先生は、俺なんかには永遠に手の届かない人なんだ。そう思った時だった。

彼女が、ぱちっと目を開けた。

ギクリとして傍らで固まってしまった僕を見あげて体を起こすと、ふっと苦笑して一言つぶやいた。「いくじなし」

「え……？」

シャツの襟がぐっとつかまれ、引き寄せられた次の瞬間には、マリコ先生の唇は僕のそれに強く押しつけられていた。

ゴクリと、のどが鳴ってしまった。頭の中が白く濁っていく。マリコ先生の腕が、首のまわりにからみつくのがかろうじてわかる。

硬直したままの僕から唇を離しながら、マリコ先生が静かにまぶたをひらく。それを見て初めて、僕は、自分がいま目を開けたままキスをしていたことに気づいた。あまりにも急な展開に、うっとり目を閉じているだけの余裕さえなかったのだ。マリコ先生の頬も、さすがに紅潮している。あんまり色っぽくて、僕は思わず武者ぶるいしてしまった。

彼女のほうからキスをしてくれたということは、彼女も少しは僕を想ってくれているということなのだろうか？　それとも、ただ単に、「いくじなし」の僕をからかってみただけなんだろうか。

この期《ご》に及んでまだそんなことを考えて、その先へ踏み出せないでいる僕の耳に、マリコ先生はやがて、そっと唇を寄せてきてこうささやいた。

「二度目も、私からさせる気？」

——結局その日、僕は、授業やゼミを全部休んでしまった。

嵐の海と知っていながら飛び込むような、要するにちょっと正気でないひとときが過ぎ去った後……ようやく我に返ってみると、僕はベッドに横になっていて、枕もとの時計は昼の一時をとっくにまわっていて、しかも、僕のとなりにはマリコ先生がいた。何も着ないで。

いまさらのように茫然《ぼうぜん》としたまま、しばらく何も言えないでいたら、マリコ先生はふっと微笑んで僕を見上げた。

「……ほんとはね。もっとイジワルしてあげるつもりだったのよ」彼女は、ゆっくりと首を横にふりながら言った。「でもまさか、返り討ちにあうとは思わなかったわ」

「ばかなこと言わないで下さい」

と、僕は言った。思ったより強い口調になってしまった。

「どうしたの？」マリコ先生は目を丸くした。「なに怒ってるの？　涯くん」

「別に、怒ってなんかいませんよ」

うそだった。

マリコ先生は、男としての僕を喜ばせようとして言ってくれたつもりかもしれないけれど、そういう言葉は、僕にしてみれば、何だかたまらなかった。彼女のような大人の女性の期待に応えられたとか応えられないとか、そういう下世話な問題じゃなくて、僕とこうなったことをまるでかけ引きかゲームのように言うマリコ先生が悲しかったのだ。

決して自慢するつもりで言うわけじゃないけれど、女の人とこうなるのは、僕にとって初めての経験ではない。

大学に入った年の夏頃だ。『ヴァルハラ』の常連だった女の子と、しばらくつき合ったことがある。

そんなに美人でもないが、いい子だった。よく音楽の話をした。お互いのことが特に好きだというのじゃなかったけれど、彼女は三年もつき合っていた男にふられたばかりのいちばん寂しい時期だったし、僕は僕で、下半身が別の人格を持ってひとり歩きしてしまうような自分をつくづくもてあましている年頃だった。つまり、身もふたもない言い方をしてしまえば、僕らは利害が一致したのだ。

僕がその女の子のことを本当に親身になって考えたのは、不思議なことに、彼女との仲が自然消滅したあと、一年くらいたってからだった。今でも覚えている。兄貴が知り合いから手に入れたというタダ券で、僕とうさぎ、直樹とセイジ、のバンド仲間四人でディズニーシーへ行った日だ。初夏の日ざしの下、アトラクションの順番を待つ長い列に並んでいる最中に、僕は、唐突にあの子のことを思い出したのだった。たった一度だけ、西武線沿線の遊園地でデートらしきことをした時、彼女がどんなによく笑ったか、どんなに屈託のない調子でしゃべったか……。今ではもう、顔さえもはっきりとは覚えていない彼女のことを思い出したとたん、僕の心臓はズキッとうずいた。その気になれば、お互いにもっと優しくだってなれたはずなのに、僕らはそうしなかった。少なくとも僕はそうしなかったのだ。

あの時感じた後悔は、今に至るまでずっと僕の中にある。まるで馬の尻に押された焼き印みたいに、たとえ痛みは薄れても、引きつれたようなやけどの跡だけはいつまでたっても消えてくれない。

だからこそ僕は、もう二度と、誰かと恋愛ごっこみたいなセックスなどしたくなかった。時には、愛と性欲とはまったく別のもんじゃないか？ なんていう勝手な理屈に流されそうになるときもあったけれど、それでもやっぱり、絶対に同じことだけはくり返すまいと思って踏みとどまった。そういうことが結果的にどれほど自分や相手をすり減らしてしまうものか、もういやというほど思い知っていたからだ。

でも、今度のは違った。僕にとってマリコさんは、決して恋愛ごっこでも下半身の問題でもなかった。僕は彼女に恋をしていた。正真正銘、ほんものの恋だった。どうしてそんなことがわかるんだ、なんて訊かれても困る。これが恋じゃないというなら、どこに恋なんてものがあるんだと、こっちが逆に訊きたいくらいだ。

でも、マリコさんが何を思って僕なんかを相手にしたのか、というか、僕のことを一体どう思っているのか……。本当は、無我夢中で服を脱ぎ捨てて抱き合ったりする前に、ちゃんと確かめるべきだったのだ。

けれど、もう手遅れだった。

みっともない話だが、僕は、後からよけいなことを訊いたり、しつこくしたりすることで、マリコさんを失ってしまうのがこわかった。何度か抱き合ったくらいで自分のものになったと考えるほどおめでたくはないつもりだけど、もし、「大人の関係よ、本気にしないで」なんて言われたら、あるいは、明日からぱったりこの部屋に来てくれなくなったらと考えるだけで、頭がおかしくなりそうだった。「女々《めめ》しい」なんて言葉、うっかり使うと女の人に怒られそうだけど、この時ばかりはほんとうに、自分の女々しさが情けなかった。これじゃ、うさぎのほうがよっぽど男らしいんじゃないか？

とにかく、そんなわけで僕はいまだに、自分からは何ひとつマリコさんの気持ちを確かめられずにいる。

大切なことであればあるほど、ずっと後にならないとその本質が見えないのは、もしかして僕が人より鈍いからなんだろうか。

それとも、ものごとというのは、いつだってそうしたものなんだろうか？

3

ドラムスのセイジが、顔の前でスティックを交差させた。僕らは息をつめる。

カッ・カッ・ダダッダッダダン！

全員同時に頭から入った。リードギターの直樹、キーボード&ヴォーカルのうさぎ、そしてベースの僕。完璧なハーモニーとリズムキープに、僕は自分でベースを弾きながら鳥肌を立てる。

アップテンポで始まった旋律が、うさぎの女性離れした（というより日本人離れした）ハスキーヴォイスと共にどんどん盛り上がっていき、そこへ彼女と質のよく似たセイジの声が重なってみごとなユニゾンを生み……サビの初めの高音を歌おうとうさぎが大きく息を吸い込んだとき、

「あーっと待った待った待った」

直樹が突然ギターを弾きやめ、両手をあげてみんなを制止した。

それぞれの音がばらばらと止むのを待って、直樹は口をひらいた。

「サビに入る前の四小節、もっと派手にクレッシェンドしたほうがいいんじゃないか？」

セイジが、ふーっとため息をついた。シャツの襟からドラムのスティックを孫の手のようにつっこんで背中をボリボリかきながら、

「なあ、ちょっと休もうぜぇ」同意を求めるように、僕とうさぎを見やる。「オレの集中力、一時間以上もたねんだよ」

「出たな、セイジの駄々が」

苦笑しながらも、バンドリーダーの直樹はギターのストラップを肩からはずした。

「しょうがないな。じゃ、十分だけ休憩」

「やりッ！」セイジは椅子からすべりおりた。「なんか飲むもん買ってこよ」

「あ、俺コーヒー」

と僕が言い、直樹が「俺もな」と言うと、セイジはうなずいて、地上への階段を一段抜きに駆け上がっていった。

吉祥寺《きちじょうじ》駅前のアーケードから、横道を入った地下にあるライブハウス『ヴァルハラ』。立ち見を含めて七、八十人入るかどうかという小さな店だが、出演するバンドの質が高い点で、業界ではけっこう有名だ。ここからスタートしてプロデビューしていったバンドもいくつかある。

『ヴァルハラ』というのは、北欧神話に出てくる神の館《やかた》の名前なのだそうだ。死んだ戦士たちの魂が迎え入れられるのだという。雲の上にあるはずの館の名前を、どうして吉祥寺の地下にあるライブハウスにつけるんだと言われてしまいそうだが、そういう文句は、名づけた張本人である兄貴に言ってもらいたい。そう、『ヴァルハラ』のオーナーは、僕の兄貴なのだった。

僕らのバンドは、月に一度か二度、平日の夜に出演させてもらっている。今日みたいな定休日には、鍵を借りて好きなだけ練習させてもらうこともできる。貸スタジオを借りるのが一回少なくなっただけでも、経済的な負担はぐっと軽くなる。

もちろん、そのへんは兄貴が便宜を図ってくれているわけだけれど、兄貴だってまさか遊びで店をやっているわけじゃないんだから、たとえ身内であろうが平日であろうが、他のバンドとの三本立てであろうが、採算のとれないバンドを出演させてくれるはずはない。

要するに、自分で言うのも何だが、僕らのバンド『Distance《ディスタンス》』の人気はこのところようやくブレイクのきざしを見せはじめたところで、出演日には僕らを聴くために来る客が目に見えて増えつつあるのだ。これで練習に熱が入らなきゃウソってものだろう。

直樹と僕は、一年の時に同じクラスで知り合った。音楽の好みがよく似ていたことから急速に親しくなり、やがて直樹がバンドをやらないかと言いだした。どうせやるならヘタクソとやるのはまっぴらだ、というので、誰かうまいやつを誘おうということになり、僕が、当時はまだ高三だったうさぎたち双子を引き入れた、とまあそういうわけだ。

今はうさぎも僕らと同じ大学で、セイジだけが音大に通っている。いつのまにか、バンドを始めてから三年目に突入していた。

「涯、ほれコーヒー」

声にふりむいた時には、コーヒーの缶はすでに僕の鼻先に浮かんでいた。慌てて受け止めた僕にニヤリと笑いかけて、セイジはもう一つを直樹に向かって放り投げ、最後に残ったアクエリアスの缶をうさぎに差し出した。

「お前はこれだろ？」

「わお、サンキュ」

一卵性じゃないから瓜二《うりふた》つというほどじゃないし、性格もまったく違うのだが、この二人は昔からとても仲がいい。「浅葱」に「青磁」。双子にそろって色の名前をつけるなんて、内山の親父さんもなかなか粋なことをするものだ。

じつは、この親父さんというのがかなり名の知れたジャズドラマーで、おふくろさんのほうは元オペラ歌手だった。セイジはおもちゃがわりに父親のタイコをたたいて育ったそうだし、うさぎの音感は母親ゆずり。二人の玄人裸足《くろうとはだし》の巧《うま》さは当然の結果かもしれない。

子供の頃、僕は、彼らの家へ遊びに行くのが大好きだった。陽気で声の大きな親父さんが一緒に遊んでくれるのが楽しみだったのだ。

僕には、自分の父親に遊んでもらった記憶がほとんどない。父親は休みの日にさえめったに家にいなかったが、それが仕事のためなのか、他に女がいたためなのかはよくわからない。たぶん両方だったんだろう。

とにかく、そんなこんなで両親は離婚して、今はそれぞれにパートナーを見つけている。僕と兄貴も、これまたそれぞれ一人暮らしをしている。四人の家族が見事にばらばらになったわけだが、正直言ってそれを寂しいと思ったことはなかった。僕らはずっと以前から、すでにどうしようもなくばらばらだった。離婚は、それを誰の目にもわかりやすい形にしただけにすぎない。

僕は、ちらりとうさぎを見やった。

彼女はステージの向こう側のへりに座って、アクエリアスをごくごく飲んでいる。襟ぐりのほどよくヨレたTシャツに、だぶっとした洗いざらしのジーンズ、頭には赤いバンダナを帽子のように結んでかぶっている。化粧っけがまるでないので、いまだに高校生にみえる。セイジと並んでいると彼女まで男の子みたいだ。

僕は、アンプに腰をおろしてコーヒーの缶を開けた。

あの朝以来、もう一か月近くもたつのに、僕とうさぎはどうも気まずい。彼女がいったんヘソを曲げたが最後やたらと長いのは今に始まったことでもないけれど、さすがにここまでつれなくされると、いくら僕でもこたえる。かといって、自分からうまく謝れる自信もない。大体、彼女が何をそんなに怒っているのかさえ、僕には理解できずにいるのだから。

ふとした気配に目を上げると、すぐ横に直樹が立っていた。僕を見おろす顔は、いかにも何か言いたそうだ。


「何だよ」

水を向けてやると、ヤツは、うさぎが向こうでセイジとしゃべっているのを気にしながら、すぐ横の壁に片手をつくようにしてかがみ込んできた。

「なあ涯、お前、こんどは何でうさぎとケンカしたんだ?」

どうせそのことだろうと思ったが、やっぱりそうか。

「俺のほうは、したつもりはねえけどな」と、僕は言った。

「ガキじゃあるまいし、するなよケンカなんかさあ」

「だから、そういうことはあいつに言ってやってくれよ」

直樹は苦い顔をした。

「とにかく、頼むから早いとこ仲直りしてくれよ。このままじゃ次のライブに響いちまう」

それはまあ、彼の言うとおりだった。メンバーが四人しかいないバンドのうちの二人がお互いにまともに言葉も交わさない状態では、たとえどんないい曲をやったって客を満足させられるはずがない。やらないほうがいっそマシというものだ。

けれど、いったいどうすればうさぎに機嫌を直してもらえるのかが、僕にはまるっきりわからなかった。目の前へ行っていきなりこのまえの話をむし返したところで、うさぎのことだ、ぷいとそっぽを向いて聞こえないふりぐらいしてのけるに違いない。そうされれば僕のほうもまた大人げなく頭にきたりして、結局もっとまずいことになってしまうにきまっている。

もちろん、今のこれがいかにバカげた状態であるかはわかっていた。どちらかが大人にならなくてはいけないのだし、そう思うのなら僕が先にそうすればいいってことも。けれど、思うのと実行に移すのとの間にはそれこそ、〝ふかくて暗い河がある〟のだ。

「仲直りってお前、簡単に言ってくれるけどさ」そばに立てかけてあった自分のベースを手に取って、僕は、汗で湿ったネックをクロスで拭《ふ》いた。「いったい、どうすりゃできるもんなわけ?」

「それくらい自分で考えろよ」直樹は、あきれたように僕を見て言った。「うさぎとケンカしたのは、俺じゃなくてお前なんだぜ? どうせ今度のケンカだって、悪いのはお前のほうなんだろ?」

「…………」

こいつが基本的にいいヤツだってことはわかってるつもりなんだが、ときどき、わけもなく憎たらしく思える時がある。たぶん、僕にないものをみんな持ってるように思えるからなんだろう。

くせのない、さわやか好青年ふうの甘いマスク。どことなく柴犬かアライグマみたいな親しみやすさがあって、誰もがこいつに対しては警戒心を解いてしまう。それでいながら、ちょっと不良っぽい魅力も漂わせている。加えて持ち場がリードギターとくれば、女にもてないわけがない。

こいつにはたぶん、一生わからないんだろうな、と思ってみる。同じ年頃の女と向かい合うたびに、照れ隠しに憎まれ口をたたいては、あとでどんより後悔してしまう男の苦労なんか。

「べつに、何も悪いことなんかしてないさ」

と、僕は言った。実際、うそじゃない。

「だいたい俺、苦手なんだよ、女のゴキゲン取んの。そういうの、お前の得意分野じゃないか。あとは任した。な、頼むよリーダー、頼りにしてんだからさ」

このとおり、と拝んでみせると、

「……ったく」直樹は、口をへの字に曲げながらも体を起こした。「なんだって俺がお前の尻ぬぐいしてやらなきゃならないんだ」

とはいってもけっこう人がよくて、頼まれるとイヤとは言えない性格の直樹は、僕を見下ろして言った。

「こんど、メシおごるか？」

「学食のBランチまでならいいぜ」と僕は言った。「Cランチは勘弁してちょ」

「なんだ。今月、カネないのか？」

「今月に限らず、ないんだよ」

「あんなに必死で稼いでるのにか」

「ばーか。ないから必死で稼いでるんじゃないか」

　直樹は深いため息をついて、憐《あわ》れむように僕を見た。

「俺、死んでもお前の彼女にだけはなりたくないなあ」

「気色《きしょく》の悪いこと言うな」

　直樹はふたたび苦笑すると、僕から離れ、ドラムセットのそばに置いてあった自分のレスポールをスタンドからひょいと取りあげた。どうするつもりだろうと思って見ていたら、彼は、ステージの端っこに座っているうさぎのところへ後ろから近づいていった。赤いバンダナの端をつまんで引っぱり、彼女が驚いてふり返ったところで笑いかけ、何か話しかけながら隣に座って、サビのリピート部分の確認を始める。コードを弾きながらやつが何か冗談を言ったらしく、うさぎは声をあげて爆笑していた。

たいしたもんだ、と思う。直樹のあれは、もはや才能と言っていい。ホストにでもなれば大成功するんじゃないかな、などとちょっと意地悪く考えていると、トイレに行っていたセイジが戻ってきた。濡れた手をジーンズで拭きながら、ライブの予告のビラやポスターがべたべたと貼られたバーカウンターの前を通り過ぎ、パイプ椅子や、楽器のケースやアンプの間をすり抜けて近づいてくる。僕が見ているのに気づくと、セイジは言った。

「その冴《さ》えないツラ、やめてくんない？」

うさぎの声を一オクターブ低くしたようなハスキーヴォイスだ。学年は一コ下でも、昔からいつも一緒に遊んだ仲だから、こんなふうにタメ口をきかれても腹は立たない。

うさぎが頭にかぶっているのとは色違いの青いバンダナを、彼はヘアバンドのように額で縛っていた。ケツポケットには、使い込んでつやつや底光りしている二本のスティック。彼の神様は、ツェッペリンのドラムス、ジョン・ボーナムだ。今となっては珍しいかもしれない。

僕の隣のアンプに座って、置いてあった缶コーヒーをぐいぐい飲みほすなり、セイジは口もとを手の甲でぬぐいながら言った。

「涯、ヤバい恋愛してんだって？」

目をむいてしまった。一旦《いったん》サアッと頭から引いていった血が、ばくばくという心臓の音と共にドッと戻ってきて、こんどは顔に集まる。

「あの、おしゃべりめ……」

そりゃあ、あのとき僕はうさぎに、「誰にも言うな」と口止めしたわけではなかった。口止めなんか、初めから考えつきもしなかったくらいだった。わざわざそんなことをしなくても、彼女なら誰にも言わないだろうと勝手に思いこんでいたのだ。まずった。この双子の仲の良さを考えに入れるのをすっかり忘れていた。

「どこまでだ？」

「え？」

「あいつ、どこまでお前に話したんだ？」

つい、問い詰めるような口調になる。

「別に」セイジは肩をすくめた。「ほとんど聞いてないよ。あいつだって、くわしいことなんか何にも知らなそうじゃん」

僕が黙っていると、セイジはふっと笑った。

「うさぎを責めてやるなよな。あいつ、涯に信用してもらえなかったっつって、えらくショック受けてたんだからさ」

思わず彼の顔をまじまじ見てしまった。「どういうことだよ、それ」

「オレに訊かれても知らねえよ」セイジは片方の眉をひょいと上げてみせた。「あいつがそう言ったんだもん。涯がつらそうだったから相談に乗りたいと思ったのに、つまんない冗談ではぐらかされちゃった、って」

「冗談なんか……」

「ん？」

「いや……」

　僕は、親指の節をかんだ。

「他には、何か言ってたか？」

「たとえば？」

「吉田ってやつのこととかさ」

「それって、今あいつがつき合ってる？」

「あ？　……ああ、そうそう、その吉田」

　その吉田に手ひどくフラレたことは、うさぎはまだセイジに話していないとみえる。

「彼氏のことは、何にも言ってなかったけどな」とセイジは言った。「なんで？」

「いや、べつに、ただ訊いただけだけどさ」

　コーヒーの缶が空になったのを振って確かめると、セイジはそれをアンプの上にのせた。

「あいつは、自分の恋愛についてはオレに全然話さないんだよな。『あんたは精神年齢がまだガキだから』とか言っちゃってさ。よく言うよ」

「おーい、そろそろ始めるぞー」

　直樹の声にふり向いて、ほーい、と返事をしたセイジは、立ち去りぎわに好奇心いっぱいの目を僕に向けた。

「なあ涯。今度、そのセンセーに会わしてよ」

「ば……！」

僕はつい大きな声を出しかけ、うさぎと直樹がこっちを向いたのを見て、慌てて声をひそめた。

「ばか言うなよ。お前が会ってどうすんだよ」

「どうもしないけど、いいじゃん。減るもんじゃなし」立ち去りながら、セイジはニヤッとした。「なんか、興味あんだオレ。不倫する人妻の心理ってやつにさ」


ずいぶん日がのびたものだ。六時半にもなろうというのに、あたりはまだけっこう明るい。角の花屋の店先には、もう夏色の花が出揃《でそろ》い始めている。

ようやく練習が終わったあと、僕はみんなよりひと足先に店を出て、夕暮れのアーケードを吉祥寺の駅へと向かって歩いていた。

ソフトカバーに入れたベースの重さが肩に食い込む。ずり下がってきたストラップの位置を、歩きながら体を揺すりあげるようにして直す。ふだんなら、ベースの重みはすでに自分の体と一体化している。それが、あらためてその重さに気づくということはつまり、今日は特に疲れているってことだ。

このまま部屋に帰って寝られたらどんなにいいだろうとは思ったが、そういうわけにもいかなかった。今日は、新しいバイトの初日なのだ。

兄貴の紹介で始めることにしたバイトだった。というか、兄貴自身も知り合いから、誰か若くてマジメなやつを紹介してくれと頼み込まれたのだそうだ。マジメなやつと言われて僕を紹介するところなんか、兄貴も相変わらずいいかげんなものだ。

『ヴァルハラ』をやっている関係で、兄貴は、よく言えばあちこちに顔が広い。悪く言えば、しがらみが多い。商店街での横のつながりもあるし、そのスジの人たちをまったく無視するわけにもいかないらしくて、はたから見ていると、小さな店とは言え自力でやっていくことの難しさがつくづくわかる。兄貴が太れないのは、たぶんそのせいだ。

吉祥寺の駅ビルの中を通り抜け、南口から外へ出て、井《い》の頭《かしら》通りを丸井の側へ渡る。薄く暮れかけた通りにショーウィンドウのまぶしい明かりがこぼれ、家路を急ぐ人たちの足もとを照らしている。

待ち合わせに指定された喫茶店は、井の頭通りからちょっと横道に入ったところにあるはずだった。これからバイトする職場がわかりにくい場所にあるので、その兄貴の知り合いの土屋さんという人が、初日だけは車で連れていってくれる約束だったのだ。

「バイトって、どういう仕事?」と僕が尋ねたとき、兄貴はいつものごとく、『ヴァルハラ』に新しく入れたアンプの裏ぶたを無理やりドライバーでこじ開けているところだった。新製品とみれば何でも自分で分解して（壊してとも言う）どういう構造になってるか確かめずにいられないのは、これはもう昔からの彼の病気なのだ。

「ホテルのボーイだ」と、ろくに顔も上げずに兄貴は言った。

ボーイ、か。そんなお堅い仕事が僕に務まるんだろうか？　一抹の不安がよぎる。

メモを片手にさがしあてた喫茶店に入り、目でさがすと、

「ここ、ここ」

　奥の四人がけのテーブルで小太りの男の人が手をあげた。

「あ、ども」

　ベースを抱え、大きな観葉植物の植えこみをよけながら通路を入っていった僕に、背の低いその人は半分腰を浮かせて向かいの席をすすめた。

「土屋さん、ですよね」

「はいはい」

「大和田《おおわだ》です。すいません遅れちゃって」

　ベースを立てかけながら僕が頭を下げると、土屋さんは顔の前で手を振った。

「いやいや、アタシも今来たところだから」

　僕は、土屋さんの前に置かれたコーヒーカップを見やって、申しわけない気持ちになっ

た。カップはあらかた空になっていた。遅れたのは五分足らずだったけれど、この人はどうやらもっと前から来て待ってくれていたらしい。

「大和田、涯くん。だったね？」

「はい」

　土屋さんは小太りの赤ら顔をくずし、目尻を下げてニコニコした。

「そのギターですぐ、ああきみだなとわかったけど」土屋さんは目尻にしわを寄せたまま言った。「きみ、限《げん》ちゃんとはあんまり似てないんだね」

　十二も年の離れた兄貴のことをいきなり「ちゃん」づけで呼ばれて、僕はすっかり面食らってしまった。

「あの、兄とはどういう……？」

「中学の同級生」

「ええっ？」

「アタシがとくべつ老けてるわけじゃないよ」と、土屋さんは先まわりして笑った。「限ちゃんがとくべつ若いんだよ」

「……はあ。まあ、あのとおりふらふらしてるもんで」

　オーダーを取りに来た女の人に、土屋さんはもう一杯コーヒーを頼み、僕も同じものを頼んだ。

かぎり、と、はて。

——兄貴が「限」で、僕が「涯」。

いったい親父は何を考えて、そんな寂しい名前を僕たちにつけたのだろう。名前の持つ意味こそ似ているけれど、兄貴と僕は、顔も性格もまったく似ていない。おふくろ、浮気でもしたかなと思うほどだ。

僕が高校に上がったばかりのころ、親父とおふくろは、たまに顔を合わせるたびに言い争いを繰り返していた。二人のヒステリックな怒鳴り声にたまらなくなると、僕は家を抜け出し、その頃にはすでに独立していた兄貴のアパートに転がり込んだ。

今でこそライブハウスなんかやっているけれど、当時の兄貴はけっこう名の通ったスタジオ・ベーシストだった。メジャーになることも、複数でツルむことも、誰かの指図を受けることも性《しょう》に合わなかったために自分でバンドは組まなかったけれど、いざ録音とかライブになると「ベースは大和田限を」と指名するミュージシャンは多かったらしい。

仕事の性質上、兄貴はその日のうちに帰ってくることもあれば二、三日帰ってこないこともあったが、帰った時にはいつも、とんでもない時間帯にインスタントラーメンやレトルトのカレーを食べながら、デッキか何かを分解していた。考えてみれば、僕が初めて兄貴のベースを借りていじり始めたのも、ちょうどこの頃だった。

あるとき兄貴は、何を思ったか、ぽつりと僕に言った。

「なあ、涯。お前、つらけりゃ今は気持ちにふたをしとけ。目をつぶって、耳もふさいどけ。そうすりゃ少しは楽になる。ただし、時が来たらまた開けてやるのを忘れるなよ」

その「時」ってのが、いつまでたっても来なかったらどうするんだよ？　と訊いた僕に、兄貴が答えて言った言葉を、今でも妙にはっきりと覚えている。

「来るさ。待ち続けてる奴のところには、必ず来る」

そのツラでよくそんなキザなことが言えるもんだと、あの時はおかしかったものだが、今になると僕にもよくわかる。兄貴は、正しかった。

世の中には、いくら牙《きば》をむいて立ち向かっていってもどうにもならないことがある。そんな時は、じっと体を丸めて嵐が過ぎるのを待つ以外に手はない。けれど、どれほど深く傷ついたとしても、時がたてばいつかその傷は癒《い》える。長くかかるかもしれないが、時が癒《いや》せない傷はない。……兄貴が言ったのは、つまり、そういうことだったのだ。

年の離れた兄貴に対して——それも、ベーシストとしては超一流だった兄貴に対して、じつを言うと僕はいまだに（面と向かって言う気はないものの）尊敬とも友情ともつかない親密さを感じてるわけで、このバイトを引き受けることにしたのもそのせいだった。今やっているガソリンスタンドのバイト以外にボーイのバイトまで入れれば、日曜以外はフル稼働ということになるのだが、兄貴の頼みなら少々の無理はきいてやるかなという気分だったのだ。

実際、報酬《ペイ》も悪くなかった。やってみなければわからないけど、たぶん、ガソリンスタンドよりは体も楽なんじゃないだろうか。

バンドの練習でスタジオを借りたり、楽譜だのCDの新譜だの必要なものを買いそろえるためには、金なんていくらあったって足りない。時給のいい遅番のバイトは大歓迎だった。もちろん、マリコさんと逢《あ》う夜をじゃまされない限りは、の話だが。

「週に三日くらいは大丈夫だと聞いてるんだけど」と、土屋さんは言った。「それでいいのかな」

「大丈夫です」

コーヒーが二つ運ばれてきて、僕らの間に置かれる。土屋さんは、クリームをなみなみと注ぎ入れた。そんなに入れるなら最初からカフェオレにしとけばいいのに、とよけいなことを思ってみる。

「まあ、とりあえず週三で始めてみて、無理なようならまた言ってくれればいいから」

太くて短いイモムシみたいな指で角砂糖をつまみ、ぽとんぽとんとコーヒーに入れていく。

一……二……三……（おいちょっと待て、まだ入れる気か？）……四。

四つ？　コーヒーに、角砂糖が四つ？？？

ぐるぐるとていねいにかき回してそれをうまそうにすする土屋さんを見て、僕は気分が悪くなってしまった。どんな味がするんだ？　あれじゃカフェオレ汁粉《しるこ》じゃないか。

とは言うものの、僕はこの土屋さんに対して、すでにある種の好感を抱き始めていた。顔や体つきは俳優のダニー・デビートに感じが似ているけれど、目もとはもっと柔らかくて、お人好《ひとよ》し丸出しで……。どういう立場の人なんだろう。支配人という年ではないだろうし、人事部とかのマネージャーあたりだろうか。

「ここから遠いんですか？」

と僕は訊いてみた。

「いや、歩いて行ける。初めての人には道がちょっとわかりづらいだけでね。今から案内するよ」

コーヒーは、おごりだった。ありがたく好意に甘えておくことにして、僕は土屋さんの後から店を出た。外はさすがに暗くなっていた。ネオンや車のヘッドライトが夜を彩っている。

「こっちだよ」

土屋さんは、太った人に特有の外股で先に立って歩き始めた。背はうさぎより低いほどで、後ろをついて歩くと、薄くなった頭のてっぺんを見下ろすかたちになる。これで兄貴と同い年とはなあ、と僕は思った。よっぽど苦労してるんだろうか。

路地に止めてあったグレーのマークⅡで移動した。一方通行のせいでちょっと道が入り組んでいたが、距離はそれほどでもなさそうだった。

五分ほど乗って、僕がまだかなと思い始めた時、土屋さんは目の前の角を曲がって車を止めると、助手席の僕に向き直った。

「ここだよ」紫色のネオンに照らされた丸い顔が、うれしそうに笑った。「静かないい場所だろ？」

僕はあぜんとして、フロントガラス越しにネオンを見上げた。

HOTEL アダム&イヴ
　ご休憩　5500円～
　ご宿泊　8800円～

うそだろ、おい。

口を開けたままの僕を見て、

「こういうところに入るのは初めてかな？」

からかうように土屋さんが言った。

「え、いや、その……」僕はごくりとつばをのみこみ、それからようやく言った。「兄からは、ちょっと違うことを聞かされてたもんで」

「限ちゃん、何て言ったの」

「はあ。ホテルのボーイだ、と」

土屋さんはそっくり返ってげらげら笑った。ホテルの前の坂道を下りていくカップルが、けげんそうにこっちを振り返った。もしかして、ホモのおやじが若い恋人を誘ってるみたいに見えてやしないかと、つい気になってしまう。

「なるほど限ちゃん、うまいことを言うな」人の気も知らずに土屋さんは言った。「まあ当たらずとも遠からずさ。ボーイって言うよりは、フロント業務プラス掃除のおばさんと思ってくれれば間違いないけども」

僕は、あの時「ボーイ」と答えた兄貴が、ろくに顔も上げなかったことを思い出した。最初からラブホテルの仕事だと言えば僕が断ると思ったに違いない。とりあえず面接さえさせてしまえば何とかなるという腹だったんだろう。ったく、とんでもねえ野郎だ。純情な弟をだましやがって、今に地獄に落ちるぞ。

と、ふいに土屋さんが真顔になった。

「こんな仕事は、いやかい」

「…………」

「いやなら断ってくれていいんだよ」

「でも、それじゃ……」

僕が言葉に詰まると、土屋さんはひょいと肩をすくめた。

「なに、仕方ないさ。きみに来てもらえないのはすごく残念だけども、そうとなればまあ、求人広告でも出すことにするよ。真面目な子が欲しかったもんで、限ちゃんに頼んでたんだけどね」

フロント業務プラス掃除のおばさん、か……と、僕はもう一度考えた。ってことはつまり、想像してみるに、人目をしのんで入って来るカップルに鍵を渡したり、ルームサービス（という名の近所の店屋物）を届けたり、「ご休憩」の後の部屋を片づけたりするのが仕事ってわけだ。時給がいい理由も、まあうなずける。

土屋さんは、ため息とも笑いともつかない息をふっともらした。

「すまなかったね、大事な時間をさいて、こんなところまで無駄足ふませちゃって。電話をくれた時点でもっとよく説明しておくんだった。いやいや、申し訳ない。限ちゃんにはアタシから言っとくから」

「……はあ」

「ほんとにすまないけど、送ってあげる時間がないんだ、うち、人手が足りなくてね。道はわかるかな」

僕はうなずき、なおも少し迷った末に、結局黙って車を降りて頭を下げた。土屋さんが僕にうなずき返す。

車は、ホテルの駐車場ののれんみたいなビラビラをくぐって、向こう側へ姿を消した。

僕は、背中を向けて歩き出した。

ベースがやたらと重かった。足を引きずるようにしながら、たった今きた道を逆にたどって駅の方角へ曲がる。

けれど、曲がったとたんに、僕の足は止まった。

すりきれたバッシューの先をじっと見つめて立ちつくす。頭の中は、めまぐるしく回転していた。

一分か、二分ほどもそうしていただろうか。

目を上げると、僕は再びきびすを返し、紫色のネオンめがけてダッシュで戻った。ベースが背中ではねる。

何事も経験じゃないか、とも思った。知らない世界のことに少しは興味だってあった。でも、いま一番大きく僕の頭の中をしめているのは、自分に対する悔しさだった。仕事の内容を聞いた上でそれを避けようとする自分がいやだった。もし求人広告が出されて、逃げ出した僕の代わりに来たのがたまたま真面目でよく働く奴だったりしたら、と想像すると、何だか自分が負け犬のようで腹が立ったのだ。

さっきは入らなかった塀の中に入ると、ちょうど自動ドアが閉まりかけたところだった。すり抜けるように飛び込み、

「あの、すいません！」

すぐ前にいたカップルが、ビクッと飛び上がって僕をふり返る。女の子が、きまり悪そうに男の後ろに隠れた。

僕があわてて目をそらすと、彼らはそそくさと部屋を選び、フロントの小窓から鍵を受け取ってエレベーターの中へ消えた。

と、フロント脇のドアがガチャリと開いて、

「あれ、なんだきみだったか」土屋さんが丸顔をのぞかせた。「どうしたの」

「ええと……」

僕が言いかけるより先に、土屋さんの顔はぱっと明るくなった。

「もしかして、やる気になってくれた？」

「………」

僕は、ぺこりと頭を下げた。

4

前期末の試験勉強もそこそこに、バイトとバンドの練習に追いまくられていたせいか、今年の夏がいつのまに始まったのかわからない。気がつくと、扇風機を「強」にしないとマリコさんと抱きあうこともできなくなってしまっていた。彼女とつき合い始めたのは冬のさなかだったから、こんなことは初めてだった。

クーラーが欲しいぜ、と切実に思った。そんな贅沢品《ぜいたくひん》、逆立ちしたって買えるわけがなかったが。

土屋さんのところで始めたラブホテルのバイトは、体力的にはとても楽だった。体力的には、とわざわざことわったのは、どちらかというと精神的にキツかったからだ。

でも、それもまあ始めてしばらくのことで、いっぺん慣れてしまえば（というか感覚がマヒしてしまえば）どうということはなかった。一か月もたつころには、客室の消し忘れビデオにどんなスゴイものが映っていようが、どんな奇怪な忘れ物を見つけようが、ほとんど動じなくなっていた。そういうものにいちいちうろたえていた一か月前の純情な僕を、お願い返して、という感じだった。

土屋さんに拝み倒されて、僕はガソリンスタンドのバイトをやめ、ほとんど毎晩ホテルで働くようになった。土屋さんの配慮で時給も上がり、スタンドより五百円も多くもらえることになったので、僕としては文句のあるはずがなかった。


夜中の一時を過ぎていた。バイトが終わるのは早くても大体こんな時間だが、それは仕事の性質上、仕方ない。じっとりと湿気を含んだ空気は、夜になっても少しも冷たくならない。息苦しさは増すばかりだ。

アパートの前の道で立ち止まって、僕は、二階の自分の部屋を見上げた。窓からはぼんやりと明かりがもれていた。ベッドサイドのスタンドだけがついているのだ。

僕の留守中に部屋に上がる時、マリコさんはいつもそうしている。ふいに学校の友達が訪ねてきたりした時でも、それくらいの明かりなら居ないふりをしても不自然じゃないからだ。うっかり消し忘れて出かけてたんだとか、空き巣防止のためだとか、後で適当にごまかせる。

クワァーンと耳もとに寄ってきた蚊を追いはらいながら、鉄の階段を上がりかけて、ふと、思ってしまった。

(マリコさん、家に帰りたくないのかな)

こうして来てくれるのは文句なしに嬉しいけれど、それは僕を好きだからというより、一人でいたくないからという理由のほうが、ほんの少し大きいように思えた。

鍵を開けて部屋に入ると、マリコさんは僕のベッドの枕もとに寄りかかって本を読んでいた。ここへ来て着替えたのだろう、涼しげな麻の部屋着を着ている。

彼女は、目を上げてにっこりした。

「お帰りなさい」

「…………」

僕は、荷物を床にどさりと落とした。そばへ行き、しゃがんでその体を抱きしめる。

「んー、涯くん汗くさい」

「あ、ごめん」

慌てて離れようとすると、

「いいのよ」

マリコさんは笑って、自分からも腕を巻きつけてきた。頬と頬を合わせたまま、彼女が耳もとでささやく。

「疲れたでしょう?」

「マリコさんの顔見たら、吹き飛んだ」

彼女は腕をほどいてニッと笑い、僕の頭をくしゃくしゃにかきまぜた。時々こうやって人をコドモ扱いするのが憎たらしい。

熱いシャワーを浴び、最後に頭から水をかぶって出てくると、マリコさんはさっきと同じ格好で、さっきと同じ本を読んでいた。

冷蔵庫から缶ビールを出し、プシュ、と開けて飲む。

「それ、面白い?」

「面白くない」とマリコさんは言った。「でも、どうしても明日までに読んじゃわないといけないの」

それはもしかして、今夜はおいたをしないでねという意味かなと思いながら、僕はテーブルをはさんだ向かい側に腰を下ろしてあぐらをかいた。

彼女がこの部屋に来たからといって、必ずしも毎回そうなるわけではない。僕のほうは正直言っていつでもOKだったけれど、女のひとの精神構造はもう少し複雑らしく、話だけして帰る時もあれば、そういうこと抜きでただじっと抱きあっていたいんだなという時もあった。

いずれにしても、彼女が僕を必要としてくれているなら、僕はそれで満足だった。ただ、さっきみたいに時々不安になってしまうのは、自分が彼女にとって替えのきかない存在なのかどうか、そのことに自信が持てなくなるからだった。

僕がじっと見ている気配に気づいたのだろうか。マリコさんは顔を上げた。

「やだ、なに？　いつから見てたの？」

「………」

「どうかした？」

「べつに、どうもしないけど……」僕は、ビールの缶をゆっくりと握りつぶした。「あのさ」

「ん？」

「あのとき、俺が酔っぱらって、マリコさんのスカートを汚しちまったりしなかったらさ。今ごろマリコさん、ここにはいなかったよね」

「……どうしたの？　急に」

「いや、さ。ふっと思っただけなんだけど」

マリコさんは、読んでいた本をぱたりと閉じて横においた。

「涯くんは、どう思うの？」僕をじっと見つめながら、マリコさんは言った。「あのときあんなことがなかったとして、私とこうなる確率は、何％くらいあったと思う？」

僕は、少し考えてから答えた。「ゼロ」

「どうして？　私なんかに興味なかった？」

「違うさ、その逆。すごく憧れてた。だからよけいに近づけなかったと思うよ。おそれ多くて」

マリコさんの唇の両端がゆっくりと上がっていき、それはやがて微笑にかわった。

「うまいんだから。今からそんなに口がうまくてどうするの？」

「将来は、結婚サギ師志望なんだ」

そして、ついでのようなふりをして訊いてみた。

「じゃあ、さ。もし俺が最初にマリコさんのバッグに入れたCDが、プロコル・ハルムなんかじゃなくて、全然マリコさんの趣味じゃなかったらどうだったかな。たとえばあれが北島三郎とかのアルバムだったとしても、この部屋に来るようになってたと思う？ ……笑わないでよ、俺、まじめに訊いてるんだぜ？」

「ごめんなさい」マリコさんは、それでもまだくっくっと笑いながら言った。「でもきっと、なってたと思うわ」

「どうしてさ？」

彼女は、ようやく笑いを納めて僕を見た。

「ねえ、涯くん。あなた、去年私の授業をとった最初の頃は、廊下側の十列目あたりに座ってたわよね」

「……うん」

「それが六月頃からは、窓ぎわの前から五列目に座るようになったでしょう」

その通りだった。席を変えた理由は、その角度から見る彼女の顔がいちばんきれいなことに気がついたからだ。

「よくそんなの覚えてるね」と、僕は言った。「二百人以上いたのに」

「だって私、あなたのこと好きでよく見てたもの」

思いもよらない言葉にポカンとしている僕を見て、マリコさんは微笑し、それから真顔になった。

「でも、ひとつ謝らなきゃいけないかも」

「なにを?」

ふいに、彼女の視線が僕からそれた。

「最初のとき……」マリコさんは、小さな声でつぶやいた。「ただ、寂しくてこうなったんだって言ったら、涯くん、怒る?」

たっぷり十秒くらいの間、僕には、マリコさんが何を言っているのかまるで理解できなかった。頭の回線がパシッと音をたててショートしてしまい、思考がオリの中のハツカネズミみたいに同じところをぐるぐる回っていることだけは漠然と感じられたけど、どうすることもできなかった。

それから、だんだんと音が戻ってきた。キッチンの隅で冷蔵庫が不服そうにブゥーンとうなり、その間だけ天井の蛍光灯が少し暗くなって、音がやむとまた明るくなった。心臓が痛いほどの激しさで脈を打ち、頭の中をザクン……ザクン……と血が流れてゆく。

マリコさんは向かい側で少しうつむき、僕との間をへだてるガラステーブルの上をじっと見つめていた。

テーブルの上には、バンド関係の月刊誌や授業のテキストなんかがごちゃごちゃに積み重ねてあって、ピサの斜塔みたいに傾いている。崩れないのが不思議なくらいだ。自分の心臓の音を聞きながら、僕はぼんやりとそれらを眺めていた。今夜マリコさんに貸してあげようと思っていたCD。やっとのことで見つけて手に入れた楽譜。来週提出する予定の書きかけのレポート……。そういう何もかもが、今この瞬間の僕にとっては意味を失っていた。

(最初のとき……)

僕は、ぎゅっと目をつぶった。

(ただ、寂しくてこうなったんだって言ったら)

目の奥がきりきり痛む。

(涯くん、怒る?)

たった今シャワーを浴びたばかりなのに、額にじっとりとイヤな汗がにじみだす。ごくひかえめに言って、気分は最悪だった。寂しくてこうなった、っていうのは、いったいどうなったことを指して言ってるんだろう。この部屋を訪ねてくるようになったことか?

僕とつき合い始めたことか？　それとも、僕と……。

もちろん、答なんかわかりきっていた。そして、マリコさんがこんなふうな訊き方をするってことはつまり、これは僕が怒っても無理ないほどのことなのだろう。他人事《ひとごと》のようで、どうにも実感がわかない。実感がわかないのに、怒りがわくはずもない。

「ひとつ……訊いてもいいかな」

マリコさんが目を上げるのを待って、僕は続けた。

「最初のとき、だけ？」

「……え？」

「寂しかったからそうなったのは、最初のとき一回だけ？」

マリコさんは、黙っていた。

僕はそろそろと息を吐き出した。心臓のうずきをこらえながら、言葉をつなぐ。

「じゃあ、今は？　正直に言ってよ。今もそうなわけ？」

マリコさんは、再び僕から目をそらしてつぶやいた。「今になって私が何を言ったって、涯くん信じてくれないでしょ？」

「…………」

彼女はフッと笑った。細い手が、そばに置いてあったバッグを引き寄せる。帰る気かと思ってハッとしたのだが、彼女はただバッグの中から煙草の箱を取り出しただけだった。

テーブルの端で落っこちかけていた灰皿を取り、一本くわえたものの、ライターが見つからないらしい。

　僕は、もたれていた壁から背中を離した。ぴくっとマリコさんが身をすくめる横を、両ひざで二、三歩這うようにして、ベッドのサイドテーブルに置かれたネスカフェの空き瓶に手をのばし、黙ってマリコさんの前に置いた。

　そのまま元の場所に戻った僕のほうを、すまなそうな目でちらりと見ると、マリコさんは瓶の中から赤い小箱を取り出して、煙草に火をつけた。マッチをふって消し、灰皿に入れる。チリン、とかすかな音がした。

「ばかよねえ、私も」かすれた声が、淡い煙とまざりあって唇からこぼれた。「こんなこと、わざわざあなたに聞かせる必要なかったのに、どうして言っちゃったのかしら。これじゃ、人に向かってえらそうなこと言えないわ」

「……えらそうなことって？」

　それだけ言うのに、鉄の扉を押し開けるくらいの労力がいった。

　マリコさんは、煙に目を細めた。

「この前、ゼミの女の子と話してたらね。今の彼氏が初めての相手じゃなかったってことを、打ち明けるべきかどうか悩んでるなんて言うから、私、言ってやったのよ。あなた、彼にウソをつき続けるのがいやって言うけど、ほんとは肩の荷を下ろして自分が楽になりたいだけなんじゃないのって。何から何まで正直に話せばいいってものじゃない。そりゃ、そんなつまらないことにこだわるとしたらその彼氏もたいした男じゃないけど、実際にほとんどの男はそういうことを気にするものなんだから、よけいなことは言わないであげるのが思いやりってものよ。中にはもちろん、まったく気にしない男もいるでしょうけど、そんな人を見つけるのって、たぶん、シマ模様のパンダを見つけるのと同じくらい難しいに違いないわ。世の中には、つき続けたほうがいいウソもある。そのウソがどんなにつらくたって、それは、あなたが今まで自分で選んできた人生に対して、あなた自身が背負っていかなきゃいけない責任なのよ、なぁんて……」

そこまで一気に言うと、マリコさんは口をつぐみ、ふうっと長いため息をついた。

「人にはさんざんお説教したくせに、自分が同じことしてちゃ世話ないじゃない、ねえ。私……どうやらすっかり甘ったれてるらしいわ、きみに。情けないったら」

煙草を持っていないほうの手を額におしあてて、マリコさんはうつむいた。長い髪がさらさら落ちかかってきて、顔を隠す。彼女はそれきり、しばらく動かなかった。右手の指の間で、煙草の灰がじりじりと長くなっていく。

その灰が畳に落ちるのを心配したわけじゃないけれど、僕はやがて再び膝立ちになり、今度はサイドテーブルじゃなく、彼女のそばに寄った。指から煙草を取って、灰皿の中で静かにもみ消す。

マリコさんが、顔を上げて僕を見た。予想に反して、彼女の目に涙はなかった。考えてみれば、マリコさんが泣くのを見たことなんて、一度もない。でも、涙がないかわりに、彼女の目の奥には、自嘲《じちょう》とも後悔とも倦怠《けんたい》ともつかない複雑な何かがうず巻いていた。それが何なのかが、僕にはわからなかった。わからないことが僕をたまらなく不安にさせた。

「いいよ、もう」と、僕は言った。「俺は、マリコさんを信じるよ」

彼女は、わずかに頬をゆがめた。

「うそばっかり」と言い捨てる。「そんなに簡単に信じられるはずないじゃない」

僕も、苦笑した。

「信じるっていうのが変なら、気にしないことにするって言い換えてもいいけど。でなきゃ、あきらめるっていうのでも」

「涯くん。きみ、ヤケ起こしてない？」

「起こしてないよ」と僕は言った。「つまり……つまり、どうでもいいんだよな、始まりがどうだったかなんてことはさ。まあ、あれこれ考えるのがめんどくさいってのもあるけど。過去の細かいことといちいち気にしはじめたら、ダンナ持ちのマリコさんを好きでなんかいられないよ。俺は、だからさ。今さえほんとなら、それでいいんだ」

自分でそう言い終わったとたんに思わず、くっせえええッ！　と絶叫してしまいそうなほど恥ずかしかったのだが、マリコさんは、笑ったりしなかった。ただ、しばらくぼんやりしていたかと思うと、ぽつりと言った。

「涯くんて、かなり変」

「そうかな」

「自分ではそう思わない？」

「うーん……わかんない。でも俺、決めたんだ」

「なにを？」

「シマ模様のパンダになってやるって」

マリコさんはやっとほんの少しだけ笑い、目を閉じて、僕に体をもたせかけてきた。

彼女の柔らかな重みを抱きとめ、抱きすくめるのに夢中のふりをして――僕は、自分と彼女の両方をごまかそうとした。よけいなことは、いっさい考えまいとした。

けれどその努力は、あまりうまくいったとはいえなかった。

(今になって私が何を言ったって、涯くん信じてくれないでしょ？)

そんなセリフが聞きたいのではなかった。言っても信じてくれない、なんて言う前に、何か言ってみてほしかった。過去のことはともかく、今は僕に対する気持ちに嘘はないんだと、信じさせてほしかった。マリコさんが何か言ってくれさえしたら、僕はどんなことでも信じるつもりだったのに……彼女はとうとう、僕の訊いたことにはひとつも答えてくれなかったのだ。

答えようとしなかったことこそが、もしかすると、マリコさんのせいいっぱいの誠実さの現れだったのかもしれない。

でも、そのことに僕が気づくのは、それからもっとずっと後になってからだった。

新しく始めたバイトがラブホの従業員だということを、僕はバンドの連中には打ちあけたが、うさぎにだけは内緒にしていた。あの潔癖性のうさぎのことだ。イヤラシイとかフケツだとか怒りだして、またしても口をきいてくれなくなる可能性は大いにある。

今回のうさぎとのケンカ（といっても彼女が一方的に怒っていただけだが）は、二十年近い僕らの歴史のなかでも、一、二をあらそう長期戦だった。

とはいえ、お互いに同じバンドにいて、ほとんど毎日のように顔をつき合わせている以上、永遠に口をきかないままでいられるはずもない。セイジや直樹の涙ぐましい協力なんかもあって、ついに今夜、定期ライブが終わった直後の楽屋で、僕はじつにじつに二か月ぶりで彼女から優しい御言葉をちょうだいできたのだった。

「ちょっとベース！　気ぃ抜いてたんじゃないの？　ふやけた音ださないでよ！」

思わずじぃんときた。すばらしい歩み寄りだ。うさぎも大人になったもんだ。

というのも、今夜の出来は実際には最高だったからだ。途中で飽きてよそ見する客なんか一人もいなかったし、何より、やっている僕ら全員がむちゃくちゃハイになれた。きっかけを一つつかみさえすれば、こんなにもうまく転がっていくもんだというのの見本みたいな一時間だった。うさぎだってそれはわかってるはずで、だからそのセリフが単なる照れかくしにすぎないのはバレバレだった。

ステージを片づけ終わって、うさぎがトイレに行った時だ。セイジがそばににじり寄ってきたかと思うと、にへらっと笑った。

「な、何だよ」僕は身構えた。

「あのさ」セイジは目を輝かせながら言った。「そのホテルにさ、外国モノのすげえビデオとかねえの？」

「まあ、ないことも、ないけどな」と僕。

「マジ？　マジ？　オレ、もぉ期待で胸がはちきれそうよ」

「はちきれそうなのは股間《こかん》だろ」と、僕は言ってやった。「くだらねえことばっか考えてないで、たまには机に向かおうって気はないのか。こないだの学科試験、お前、追試何コ受けたよ」

「そうだそうだ」と、横から直樹が言った。「安心しな。ビデオは俺がかわりに見といてやるから」

「そりゃねぇよ、ひでぇよ！」

「筋はあとで教えてやるって」

「あんなビデオの筋なんか聞いて何になるんだよッ」

セイジが叫んだとたん、

「ビデオって、なんのビデオ？」

うさぎだった。いつのまにか戻ってきていたのだ。泡をくった僕がバカなことを口走るより一瞬早く、直樹が言った。

「いや、さ。最近のプロモーション・ビデオの話をな」

と、階段をおりてくる足音がして、いいところへ兄貴が姿を現した。青いバケツをさげて、ホウキを持っている。言っちゃ何だが、ホウキが兄貴を持ってるみたいに見える。

「あ、マスター、掃除？」うさぎが、座りかけた腰を浮かせた。「手伝うよ」

「あたりまえだ」

兄貴は、僕らの人数分だけ次々とぞうきんを投げてよこした。僕が受けそこねたやつを顔で受けたセイジがゲッと叫ぶ。

「そうだ、お前ら」兄貴が、ふと思いついたように言った。「今夜のデキのことだがな」

僕らは顔を見合わせた。

一個目の椅子を裏返しにテーブルにのせながら、兄貴は続けた。

「お前ら、あれを維持する自信はあるか？」

ぞうきんを握ったまま、僕らは一気に緊張した。訊かれたことの意味を察したからだ。

やがて答えたのは、直樹だった。

「維持なんか、する気ありません」

「ちょ、ちょっと！」

うさぎが慌ててそでを引っ張る。

けれど奴は、ニヤリとしてこう抜かした。

「あれを超える自信なら、ありますけど」

「ふふん。強気だな」兄貴は肩をすくめた。「まあいい。お前ら、来月あたりいっぺん、土曜の夜に出てみろや」

5

土曜の夜——。

バンドをやっている者にとって、それは、特別の意味を持つ。

単に客の入りがいいからだけではない。翌日も休みだという解放感からか、客たちはほかの平日に比べるとずっとノリがいいし、質もいい。さらには、音楽業界のスカウトの人間が聴きに来ていることだって珍しくないのだ。

もちろん、そういう人たちはよほど話題のバンドでない限りめったに自分から足を運んでくれないし、それすらもコネがものを言う世界ではある。おまけに業界の判断は、商品になるかどうかというただ一点……つまり、演奏のうまさよりも人気のあるなしに重きがおかれがちなのだけれど、このところ人気のほうもようやくブレイクしてきた『Distance』にとって、初めての土曜ライブが大切な第一歩であることだけは間違いなさそうだった。

僕らは必死で時間を作っては、集まって練習を重ねた。直樹も、うさぎも、セイジも、そして僕も……四人ともそれぞれに本気で、この道で食っていきたいと考えていたのだ。

「新しいやつがイッパツ欲しいよな」

と、リーダーの直樹は言った。

定休日の『ヴァルハラ』を借りきっての練習中、ひと息入れた時だ。

「新しいやつって？」

うさぎが、のど飴《あめ》を口に入れながら訊き返す。

直樹は黙って、レスポールをギタースタンドにそっと立てかけた。ツェッペリン時代のジミー・ペイジや、ガンズのスラッシュなんかが愛用してるモデルだ。ギブソン独特の粘っこい音が身上のそのギターを、奴は命の次に大事にしている。

「決まってるだろ。新曲さ」と、直樹は言った。「ステージのラスト近くでビシッと決められるようなやつが、もう一曲欲しい」

「今までのじゃ、何でいけねぇの？」とセイジ。「いいやつ十曲くらいで、時間的には充分なんじゃねえ？」

ひっきりなしに、二本のスティックで自分のももをパラパラたたいている。

直樹は、パイプ椅子にどさりと座って、長めの前髪をかき上げた。そういう仕草は、なまじ顔のいい奴がやるとキザでいやみったらしく見えるものだが、直樹の場合は妙にさまになる。たぶん、本当の意味での育ちのよさのせいだろう。

背もたれによりかかって椅子の前脚を浮かせながら、直樹はまっすぐに僕に視線を合わせた。

「涯、お前どう思う?」

「え、俺?」面くらって、ベースのネックを拭いていた手を止めた。「俺は……まあ、新曲はあるならあった方がいいとは思うけど。でも、今からもう一曲作って練習して、当日にまにあうか?」

うさぎとセイジがうんうんとうなずき、似たような顔を並べて直樹を見やると、彼は両手を頭の後ろで組んで板張りの床に目を落とした。

そして、自分に言い聞かせるように言った。

「確かに、今のままでも悪くはないさ。初めて聴きに来る客には充分だよな。だけど今度のステージばかりは、いつもの倍くらい気合い入れてかからないと、やる意味がないんだ。一〇〇%以上を目指せないくらいなら、やらないほうがましなんだ。対バンのバンド目あてで来る客も、『Distance』の名前なんか聞いたことさえない客も、全員まとめて俺たちのファンにしちまうくらいのステージにしなくちゃいけない。お前らだって、そう思ってるんだろ?」

言いながら直樹があんまり僕の顔ばかりチラチラ見るので、居心地が悪くなった僕は助けを求めてうさぎを見やった。うさぎは、じっと直樹の顔を見つめている。しかたなく直樹に目を戻すと、奴は例のごとく人なつっこい表情で僕をまっすぐ見返して、ひとこと言った。

「というわけで、頼んだ」

「これだもんな」げんなりしながら僕は言った。「……ったくもう。わかりましたよ、やるだけはやってみますよ。作りゃいいんだろ、作りゃ」

「えらい。さすが」

うさぎが、別にえらくもさすがでもなさそうに言って、ぱちぱちぱちと拍手した。

「お前だって、曲ができたらそいつに歌詞つける仕事が待ってるんだからな」と僕は言ってやった。「俺にはそっちの才能はないんだから」

うさぎは、他人事のように肩をすくめた。


でも、そんなふうに安うけあいしてしまったせいで、僕はそれからしばらく、寝ても覚めても新しい曲のことを考えなければならない羽目《はめ》におちいった。まあ、いつものことではある。僕が曲をひねり出し、うさぎがそれに詞をつけるというパターンだ。直樹とセイジも今までに一曲ずつ作ったことがあったが、もう二度とやるもんかと宣言していた。向いてない、というのだ。

本当は僕自身、自分がそれほど作曲に向いているとも思えないのだけれど、

「向いてないと思わないってことは、向いてるんだよ」

そう言って、うさぎは励ましてくれる。幼なじみの彼女に言われただけでそれを信じてしまうのだから僕もいい気なものだが、もちろんそれは、うさぎの性格をよく知っているからだった。どんなに努力しようと、お世辞と嘘だけは言えないのが、うさぎのいいところでもあり、困ったところでもあるのだ。

ともあれ、次の練習日までは三日しかなかった。曲づくりに専念したいからといって、まさかゼミやバイトを休むわけにもいかないが、顔を出したところでそれに集中できるわけでもない。土屋さんは、僕が客室の掃除をする合間に突然ポケットから紙を取り出して何ごとかメモするのを、もの珍しそうに眺めていた。

でも、メモできる状況だったらまだいい。ものすごくいいメロディが浮かんだのがちょうどマリコさんといざコトに及ぼうとしている時で、終わるまで覚えていられると思ったのに我に返ってみたらすっかり忘却の彼方《かなた》だった、なんてこともあった。忘れまいとして途中まで頭の中でくりかえし歌っていたせいか、気が散ってあっちの満足度のほうもイマイチだった。「二兎《にと》を追う者は一兎をも得ず」というのは、どうやらホントのことらしい。焦《あせ》れば焦るほど、陳腐なメロディしか浮かんでこない。これまで思いついた時に書きとめてあったメロディやコードの断片を拾い集めては、どこからか糸がほぐれてうまく曲に

なってくれないかとこねくりまわしてみるのだが、これはいけると思ったら、何のことはない、数年前のヒット曲のフレーズだったりする。

その、心臓のまわりがジリジリこげつきそうな感じは、たとえば夢の中で、外に出るドアがどうしても見つからなくて焦りまくっている時の息苦しさとよく似ていた。ドアを開けても開けても、目の前には底なしの暗闇《くらやみ》が広がっているのだ。

オレニハ才能ナンカナインダ、と何度も思った。そしてそのたびに、他のメンバーの顔を思い出しては、むりやり自分のケツをたたいてやるのだった。土曜の夜に賭ける気持ちはみんな同じだ、こんなことくらいで挫折《ざせつ》したり落ちこんだりしてる暇はないんだ、と。

ところが……。

「だめだよ」

と、開口一番うさぎは言った。

「こんなのあたし、歌えないよ」

約束の日、渋谷の貸スタジオでの練習が始まってすぐ、僕は直樹のレスポールを借りてコードを弾きながらメロディを歌って聴かせた。歌うというよりは唸《うな》るといったほうが近かったような気がするが、ともかく、ゆうべ遅くにやっとのことで出来上がったその曲は、メロディラインのきれいさに重点をおいたバラードタイプの曲だった。

今までの『Distance』にはなかった雰囲気で、ステージのラストのほうでビシッと決められるやつ、と言った直樹のリクエストからははずれるけれど、土壇場《どたんば》でひねり出したにしてはなかなかのものだと思う。火事場の馬鹿力ってやつだ。

キャッチーなサビに、さりげなくも印象的な転調。自分で言うのも何だが、もしかしたら今までで一番の出来かもしれない、と僕はうぬぼれていたし、最初は珍しさに戸惑っていた直樹もセイジも、二度ばかりくり返して聴かせるうちには大いに気にいってくれた。

それなのに——うさぎは頑固だった。

「きれいな曲だし、個人的には好きだけど、でもダメ。歌えない」

八畳ほどの狭い貸スタジオは、冷房こそきいていたものの、楽器や機材全部に僕ら四人が入るとかなり暑苦しい。ジーンズをちょん切った短パンに黒いタンクトップ姿のうさぎは、なるべく男どもとくっつかないように壁にはりついていた。

「ねえ涯、あんたいったい何考えてんの？」と、うさぎは言った。「どんないい曲だって、ヴォーカルに合ってなきゃ意味ないんだよ？」

「わかってるさ」

「わかってないから言ってんの。こんなシットリ系の曲、あたしのこの声に合うわけないじゃない」

「そんなの、誰が決めたんだよ」と、僕は言ってやった。「お前が勝手に自分で決めつけてるだけじゃないか」

うさぎが、ふくれたままそっぽを向く。

僕はできるだけ辛抱強く言った。

「ハスキーヴォイスだからってバラードが歌えないなんて、あるわけないだろ。んなこと言いだしたら、サザンの桑田が泣くぞ」

「桑田は男でしょうが」

「だから何だよ。それこそ、男にだってスローバラードが歌えるなら、お前に歌えないはずはないよ」

「だから、あたしが言ってるのはそういうことじゃないんだってば」

うさぎは足を踏みかえた。苛立《いらだ》つと右手の親指の爪をかむくせは、小学生のころから変わっていない。

「こんなロマンチックなメロディ、人が歌ってんの聴いてるぶんには気持ちいいけど、自分でなんか恥ずかしくて歌ってらんないよ」

「そうかなあ」と、ふいに横から口をはさんだのはセイジだった。「お前、ためしにやってみりゃいいのに。いい曲じゃん」

「だろ？　だろ？」と僕。「ほらみろ」

「でも、ヤなの」と、憎たらしい口調でうさぎは言った。「第一これ、ぜんぜんあたしらしくないじゃない。あたしはもっと『Distance』らしい、アップテンポの曲がいいの」

「おい、一緒くたにするなよな。『Distance』らしいかどうかってことと、お前らしいかどうかってことは、似てるけど別の問題だろ」

ハッと口をつぐんで、うさぎは僕をにらみつけた。恨めしそうな目つきだった。

直樹のギターを横に置いて、僕はため息をついた。うさぎのこの抵抗ぶりは、本当はこの曲だけの問題ではない——それがよくわかっていたからだ。

今までの『Distance』のオリジナル・ナンバーは、たしかに、多くがアップテンポのノリのいい曲だ。作詞は全てうさぎだが、何曲かある恋の歌はみんな、男から女へ向けての歌だった。

そして、どの曲をどんなふうに歌ってみせる時でも、うさぎは見事なまでに性別を感じさせなかった。自分が「女らしくない」ことにコンプレックスを抱いているうさぎにとって、ステージで歌うことは、自分らしさ（少なくとも彼女の思う自分らしさ）を解放してやるための、ただひとつの手段なのだ。

実際、うさぎの持ち味は、客にも受けている。彼女の容姿や声や歌い方は、何というか……そう、生成《きな》りの木綿みたいな感触なのだと思う。動物的なものとも、性的なものとも無縁で、誰にとってもさらりと肌ざわりがいい。

けれど、そういうあれこれをすべてわかった上で、それでもなお、僕はうさぎにこの曲を歌わせてみたかった。もしここで引き下がって、うさぎの主張する「あたしらしさ」を認めてしまったら、僕らのバンドは一つの可能性をつぶしてしまうことになるかもしれない。ろくに成長もしないうちに、小さく固まってしまうかもしれないのだ。

「こういう曲調だからって、何も中身まで恋愛ものに仕上げなくたっていいんだぜ」

と、僕は言った。

うさぎは黙りこくって爪をかんでいる。

「これから付ける歌詞しだいで、いくらだって印象は変わるんだしさ。それこそ、お前らしい感じの歌にすればいいじゃないか」

びっくりすることが起こったのは、そのときだった。

「なあ、うさぎ」と、それまでずっと黙っていた直樹が言った。「どんな歌詞をつけるかは自由だけどさ。俺、お前の声がスローバラードに向いてないなんて、一度だって思ったことないぜ。何歌わせたって、お前は最高だよ」

するとうさぎは——僕は目を疑った——うさぎは、まるで、クラスに一人は必ずいる無茶苦茶シャイな女の子のように、頰をさっと赤く染めてうつむいたのだ。

信じられなかった。僕が知っているうさぎなら、そういう言葉に対してはフン、と鼻を鳴らして、たとえばこんなふうに言ってのけるはずだった。

「直樹、なんであんたってそう調子いいの？　よくそんなこと真面目な顔で言えるよね、歯が浮かない?」

とか、

「その程度であたしを丸めこめるとでも思ってるわけ? 残念でした、あんたのつき合ってる女たちと一緒にしないでよね」

とか……そんな感じだ。

僕らメンバーはみんな、うさぎのそういうさばさばした威勢のよさをひっくるめて気にいっていた、というかまあ、アイしていたから、ふだんから彼女がいくらぽんぽん言ったところで誰も気を悪くしたりなんかしなかった。でも、いま僕は、彼女がどんなにキツいことを言ってのけた時よりも戸惑っていた。いや、ほとんどうろたえていたと言っていい。ふとんに地図を描いていた頃から彼女のことはよくよく知っているつもりでいたのに、突然、見も知らない女の子が目の前に出現したみたいな感じだった。

「な? ためしに歌ってみろよ、うさぎ」と、直樹は言った。「土曜のライブでその曲をやるかやらないかは、あとから決めたっていいじゃないか。とにかく、まずはいい詞を考えてくれよ。このまま眠らせるにはいくらなんでも惜しいぜ、この曲」

うさぎは、うつむいたままできゅっと唇をかんだ。耳たぶの赤みは少し引いていたが、やっぱり頬は赤いままだった。

やがて彼女は、ぼそぼそとした声で言った。

「わかったってば、もう。そこまで言うなら、一応やるだけはやってみるわよ」

あきれ返ってしまった。さっきまで俺があれだけ説得した時には駄々っ子みたいにイヤダイヤダの一点張りだったくせに、直樹がちょっと言えば一発でOKかよ。

なんだか、わけもなくむしゃくしゃした。いっそ、ガキの頃みたいに、うさぎの髪をぎゅっと引っぱって泣かせてやりたいような気分だった。……ったく、何だってんだよ。

おまけに、だ。腹の立つことは重なるもので、練習を終えて貸スタジオを出たところで僕らは茫然と空を見上げる羽目になった。

「ありゃりゃりゃりゃりゃ……」

「天気予報、当たっちまったよ」

天国の川底が裂けたみたいなざあざあ降りだった。街はもうすっかり夜の顔になっていて、繁華街のネオンや行きかう人の背中の輪郭が、雨の幕のむこうで滲んでいる。

お天気おじさんの忠告通りに傘を用意して来ていたのは、うさぎとセイジだけだった。二人とも、見かけによらずこういうところはけっこう几帳面《きちょうめん》なのだ。内山家の教育方針なのかもしれない。

これからバイトに行くうさぎと、ギターをかついだ直樹は、方向が同じだというので一緒の傘で帰っていった。その背中を見送りながら、自分の傘をひろげたセイジが言った。

「男同士で相合《あいあ》い傘ってのも、気がすすまねえな」

「お互いさまだろ」と僕。

「あそ。そいじゃここで」

一人ですたすた立ち去りかけたセイジを、

「あっおい、見捨てるなバカヤロ」

慌てて追いかける。

透明なビニールの傘ひとつを奪い合って、体を縮こまらせて歩いた。どうしてもお互いの肩が外にはみ出すことになってしまう。ベースのソフトケースを、少しでも濡れないように内側の肩にかけ直す。そのぶんよけいに自分がはみ出る。セイジの荷物はといえば、スティックの他には傘しかない。基本的にスネアドラム（目の前でパラパラスタスタ叩くやつ）だけは自分のを持って行くのが決まりだが、それもライブハウスでやる時だけで、ほかはほとんど手ぶらでいいのだ。身軽でうらやましい。

しばらく黙って雨の坂道を歩き続け、やっと駅の灯《ひ》が見えてきた頃になって、僕は言ってみた。

「なあ」

「うん？」

「その……うさぎのやつさ。もしかして、直樹のこと……」

最後まで言わないうちにさえぎられた。

「今ごろ気がついたわけ？」

「え。じゃあ、前からなのか？」

「涯。あんたいったい、どこに目ぇつけてんの？　っとにニブいよね」

悔しいが、言い返せない。

セイジはあきれ返ったようなため息をついた。

「あいつのこないだまでの彼氏、ほら、何つったっけ名前」

「吉田？」

「そう、そいつ。やつが誰に似てたか考えてみなよ」

考えてみた。見たところ優しそうで人あたりがよくて、でもどこか不良っぽい二枚目。背が高くて、日焼けしていて、口がうまくて……。

僕が黙っていると、セイジは言った。

「おわかり？」

「……ああ」

でも、なんでうさぎはそんな回り道をするんだろう？　直樹のことが好きなら、何も直樹の身代わりを捜してつき合わなくたって、本人とつき合えばいいじゃないか。すぐ目の前にいるんだし、決まった彼女がいるわけじゃないんだから。あの女好きの直樹のことだ、うさぎのほうからつき合ってくれと言えば、案外あっさりＯＫしてやるに違いない。来るものを拒んだところなんか見たことないし、何より直樹のほうだって、いつもチョッカイ出したり心配して世話を焼いたりしているうさぎから告白されたら、けっこうその気になってうまくいくかもしれない。

僕は、そのとおりセイジに言ってみた。

するとセイジは、駅の入口で傘をたたみ、ばさばさと振って水滴を落としながら、あいかわらずのあきれ顔で言った。

「そんだけ女心にウトくて、よくまあ年上の女とつき合ってなんかいられるよなあ。島村先生とやらに、そのへん、もうちょっとしっかり教えてもらえば？ あっちのほうばっかしじゃなくてさ」

じゃあな、と言って舌を出すと、セイジはそのまま人混みにまぎれて行ってしまった。井の頭線の切符を吉祥寺まで買い、階段を上がって急行に乗り込む。運んできた乗客を全部降ろしたばかりの電車は、なんだか頼りなげにフワンフワンとまだ揺れている。

とびらの脇の席に腰を下ろして、ひざの間にベースを立て、ぼんやり吊りビラを見上げた。ふっと、うさぎの赤い顔が思い浮かぶ。

男みたいな格好ばかりしてても、やっぱり中身はちゃんと女なんじゃないかよなぁ、としみじみ思ってしまった。さっきまでの苛立たしさにかわって、くすぐったさと少しの寂しさが、一緒くたに入りまじってひたひたと満ちてくる。

うさぎのやつがもし誰にも言えないで悩んでいるのなら、いくらでも相談に乗ってやるのにな、と思った。どうせ「女心にウトくて」「あっちのほうばっかし」の男かもしれないけれど、それでも、吉田の野郎にフラレた時にうさぎが話を聞いてほしがったのは、他でもない、この僕だったのだ。

きょうだいのように近すぎもしないし、恋人のような特別の異性でもない……。幼なじみの男なんてものは、きっと、こういう時のためにいるのに違いないんだから。

6

曲のアレンジというのは、コード進行さえ決まっていれば、あとは各パートが顔を合わせることでその場で少しずつでき上がっていくものだ。譜割りのコード譜以外は、ほとんど無の状態から始まる。

「セイジ、その『後ろめたい昨日に……』に入るとこ、三連のほうがよくないか？　ウパラウパラ……」

直樹に言われる尻から、セイジがダララスタタと叩いてみせる。

「ギターさ、『過去をなぞるのはよそう』のとこセヴンスでやったらどうなる？」

「こういう感じ？　あ、キーボー、音バラバラし過ぎ。耳に邪魔ンなる」

「ちょっとベース、そこんとこもっとタイトに弾けない？」

誰も、遠慮なんかしない。腹の探り合いなんてまだるっこしいことはまっぴらだ。ケンカになることもめずらしくないくらい、言いたいことをありったけぶつけ合っているうちに、だんだんと曲が形になっていく。誰にも真似《まね》できない『Distance』だけの音になっていく。

僕の作ったあのバラードにうさぎがつけた詞は案の定、恋とも色気とも無縁だったけれど、それでも曲の雰囲気にはなかなかよく合っていた。彼女が持ち前のハスキーヴォイスで思い入れたっぷりに歌いあげると、ますますいい歌に聴こえた。

紫の *Horizon* に背を向けて
爪ばかりかんでたね　ひざを抱えながら
夜明け前の闇が一番深いと誰かが言ってた

ローランドのキーボードを自在に弾きこなしながら、うさぎは、あらゆる音と音の間にするすると声をすべりこませていく。すべりこんだ声が、どういうわけかぐっと一番前に出る。ここぞとばかりにシャウトする。

Keep on keepin' on!　まだ誰も知らない
Keep on keepin' on!　ほんとのこと探して
俺たちに明日はない　なんて信じない

ほら　夜明けまで　あと1《ワン》マイル……

『ヴァルハラ』のステージを借りての最後のリハが終わろうとしていた。あと三十分もすれば、いよいよ本番。やり直しはきかない。

「バラードは初めてだな」

通しで聴いていた兄貴は、腕組みを解いて言った。

「まあ、いいんじゃないか。気恥ずかしいくらいまっすぐな詞だが、一曲でもこういうのがあると、幅を感じさせていいかもしれない。曲はお前が作ったのか」

「そうだけど……なんで」

「うん？　いや」

チューニングの大音響の中で僕に近づいて、兄貴はからかうように言った。

「さてはお前、好きな女でもできたろ」

「なに言ってんだよ」

僕は必死にポーカーフェイスを通した。

マリコさんとのことは、兄貴には何も話していない。不倫の片棒かついでるなんて、とても言えやしない。互いを裏切り合う親たちの間であれだけ苦しんで、兄貴のところへ転がり込んだりしてたくせに、その僕が今になって相手の女に同じようなことさせてるなんて……。

だから、今日のライブにも、マリコさんは呼ばなかった。見られていると思うと変に緊張しそうだったし、僕らの関係を知っているうさぎが気持ちを乱してもいけないし。

今夜は僕らのほかにも二つのバンドが出演することになっていて、僕らは一応最後《トリ》だった。もうどうとでもなれと覚悟を決めて、ステージ裏の楽屋で缶コーヒーを飲んでいたら、三、四人の女の子たちが遠慮がちにのぞきこんで直樹を見つけるなり、

「あっいたいたー」

「来てあげちゃったよー!」

きゃあきゃあ黄色く騒ぎはじめた。

直樹のやつは、まんざらでもなさそうに立っていって相手をしている。どうやら、ゼミの女の子たちらしい。

ちらっと隣のうさぎを見やると、彼女はうつむいて歌詞のノートに見入っていた。ぶつぶつ唇が動いている。

「うさぎ」

呼んだのに、返事がない。

「う、さ、ぎ」

「……えっ?　あ、何?」

「それ、今日歌うやつじゃないけど、わかってて覚えてるわけ?」

うさぎはハッとして、ひろげていた歌詞ノートを見直した。

「や、やだ……ホントだ。あたしってばどうしたんだろ、アガっちゃってるのかな」

どぎまぎしながら、ノートをぱらぱらめくっている。

「おいおい、しっかりしてくれよ」

言いながら、再び横目で戸口のほうを見やると、直樹は女の子たちとデレデレ笑い合っていた。花束をかかえた一人が華やいだ声で言う。

「これ、みんなからだからね」

「いやあ、悪いなあ。気ぃつかってもらっちゃって」

直樹が手を出そうとすると、女の子たちはまだだめ、まだだめ、とにぎやかに笑った。

「最後にステージの下まで渡しに行ってあげるから、ちゃんと受け取ってよね!」

好きな男を意識している女の子に特有の、よそいきの声だ。

けなげだよなあ、と、つくづく思った。女とみれば誰にでも優しい直樹に、それでも少しでも喜んでほしくて、きっと目いっぱいおしゃれしてきたんだろう。

うさぎも、そういうことが自然にできる性格ならもうちょっと楽なんだろうにな、と目を戻す。今度はちゃんと正しいページを開けていたけれど、うさぎの唇はもう動いてなかった。耳と意識が、すっかり直樹たちのほうへ向いてしまっているのだ。

僕は、ひそかにため息をついた。

女の子たちが客席のほうへ戻っていったのを見送って、直樹が楽屋の中に向き直る。その目線をつかまえると、僕は、

(ちょっとつき合え)

黙ってあごをしゃくった。

楽屋からステージに続く細い通路で、僕が立ち止まってふり向くと、後からついてきた直樹は戸惑ったように言った。

「何だ、どうかしたのか?」

「頼みがあるんだ」と僕は言った。「うさぎに一発、カツ入れてやってくんないか」

「なんで」

「あいつ、どうもアガっちまってるみたいでさ」

「あいつが、アガる?」直樹はぷっとふき出した。「まっさか」

「わかんねえけど、なんか様子がいつもと違うんだ」

「だけど、カツ入れるったってどんなふうに」

「なんていうか……だからつまり、自信持たせてやってくれればいいんだよ。ほら、こないだみたいに、『お前なら歌える』とか、『なに歌わせても最高だ』とかさ。そうやっておだててやりさえすれば、うさぎはスルスル木に登んだから」

「そぉかあ?」

「そうだよ。こういうことはやっぱ、俺なんかが言ったんじゃだめなんだよ。リーダーのお前から言われなきゃ、うさぎのやつ納得しねえんだ。珍しくナーバスになってるし……とにかく今日は大事な日なんだからさ。な、頼むわ。女の子たちかまうのも結構だけど、せめて本番まではできるだけあいつに付いててやってくれよ」

「……ふうん」直樹は、にやにやしながら僕を眺めた。「今日はずいぶんよくしゃべるなあ、涯。何かたくらんでるんじゃないだろうな」

「たくらんでねえよ、ばぁか」僕はひきつりながら笑ってみせた。

「まあ、いいや。今日という今日は、うさぎがアガるのもまあ無理ないしな。ほんとのこと言うと、俺だって緊張してるくらいなんだから」

「手でも握っててやろうか」

「ばか言え」直樹は苦笑して、楽屋へ戻っていった。

狭い通路の壁によりかかって、ふぅーッと息を吐いた。両のてのひらを上にむけてじっと見おろす。

えらそうなことなんか言えやしない。ひとのことより、まずは自分を何とかしなくちゃいけない。

さっきから震えの止まらない両手を、僕はぎゅっと握りしめた。

一曲目の出で、セイジの阿呆《あほう》がトチった。リズムが少しばらけた。

それにつられたのか、直樹のギターがうまくはまらずに微妙に遅れ、その精神的な動揺が二曲目くらいまで尾を引いた。

でも、三曲目からはもう、開き直りもあってほぼうまくいったし、最後から二番目にもってきた例のバラードも、なかなかの手ごたえだった。

僕はといえば、おかげさまで一度も大きくトチらずに済んだ。

そして、かんじんのうさぎは……。

控えめに言って、最高だった。（なんだなんだ、どうしたんだ?）と、野郎三人が戸惑うくらいの凄《すご》い歌を歌ってのけたのだ。歌詞には感情がびっちりこもっていたし、シャウトも効いていたし、ハスキーな声は高音部でも低音部でも、聴かせどころにくるとすかさずモチみたいによく伸びた。初めて僕らの演奏を聴く客さえもが、途中からは、出だしのマズさなんかすっかり忘れてむちゃくちゃノッてくれたほどだ。

やっぱりコイツは本番に強いのか、と僕は思った。さすがは親の子だと。

でも、理由はそれだけじゃなかったってことが、後になってわかった。

ほとんどの客が帰って、わずかな数人とスタッフが残るだけになったころだ。セイジは汗だくのまま楽屋でノビていたが、直樹は地上へと続く階段下で花束をかかえ、最後に残ったさっきの女の子たちとしゃべっていた。

カウンターの中でグラスや皿を洗い始めていたスタッフに頼み、ミネラル・ウォーターにレモンのスライスを浮かべてもらって、僕は照明の消されたステージに近づいた。ステージから下りてすぐの丸椅子に腰をおろしたうさぎは、脱力したように、ビラのべたべた貼られた壁にもたれかかっていた。黒いレザーパンツにブーツ、ヘソがのぞくセーターとベスト、というステージ衣装のまま、ぼんやりと店の出口に目をやっている。

僕がさし出した水のグラスを、のろのろと手を上げて受け取ると、うさぎは一口飲んでから、

「……サンキュ」

声にならないささやき声で言った。

そばの椅子に座り、僕はしばらく彼女と同じように、見るともなく直樹たちのほうを眺めていた。そうして、やがて言った。

「そんなに好きなら、さっさと告白しちまえばいいのに」

どうせまたムキになって、何か言い返してくると思っていた。

けれどうさぎのやつは、拍子抜けするほど素直な感じでクス、と小さく笑うと、まだ上気している頬に氷の浮かんだグラスを押しあてて目を閉じた。

「あたしなんかに告白されても嬉しくないよ。どうせ、ふられちゃうのがオチ。告白して

気まずくなっちゃうくらいなら、友だちのままのほうがましだもん」

うさぎがあまりにもあっさり直樹を好きだと認めたことに、僕は反対にとまどってしまった。

「……いつからなんだ？」

「んー。わかんない」うさぎは目を開けた。「けど、自分でそうだってはっきり意識したのは、けっこう最近、かな」

「じゃあ、前に吉田とつき合ってたのは、直樹と似てるからってわけじゃなかったってこと？」

ゆっくりと二、三度まばたきをして、彼女はグラスを横のテーブルに置いた。

「告白ってさ」と、彼女は言った。「こっちからするよりは、男のほうからされたいもんじゃない？」

「……男の俺に訊かないでくれる」

うさぎは、またクスッと笑った。

「島村先生の時は、涯、自分から好きだって告白した？」

「うーん……どうだったかな」

ほんとは成り行きで、あれよあれよという間にそうなってしまったのだ――とは言わないでおいた。

「あたしはさ」うさぎはボソボソと言った。「吉田くんから『つき合ってくれ』って言われた時、べつに好きだったわけでもないのに、すっごく嬉しくてさ。なんか、ちょっと自信持っちゃうっていうか、自分のことを肯定してもらえたみたいでホッとするっていうか……そういうのって初めてだったから、それで、ついOKしちゃったんだよね。まあ確かに涯の言うとおり、顔とか雰囲気が誰かさんに似てたのも大きかったんだろうけどさ、今から思えば」

吉田が直樹に似ていることを指摘したのは、もとはといえば僕ではなくてセイジだったのだが、それも言わないでおいた。まわりの人間みんなから見透かされていると知ったら、うさぎだっていい気持ちはしないんじゃないかと思ったからだ。

「お前、そういうの初めてだったたって言うけどさ」と、僕は言った。「俺はいつだってお前のこと肯定してるぜ。今のお前を魅力的だと思うってことはつまり、肯定してるってことだろ？」

「うーん。涯はほら、幼なじみだから」煮えきらない調子でうさぎは言った。「でも、まあ……ありがと」

本当は、直樹からそういう言葉が欲しいのだろう。

「そういえばさ。本番の前、直樹の奴から何か言われたか？」

「え？　べつに何も。頑張ろうなって言われたのと、お前なら大丈夫だよ、最高のやつが歌えるよって言われたのと……ああそれから、あの女の子たちとくらべたら、うさぎはサバサバしてて、つき合いやすくていいなって言われたっけ。ベタベタした女はどうも苦手だって……」

言いながらうさぎは、自分でも初めて腑《ふ》に落ちたみたいな顔をした。

「なぁんだ、そうかぁ」とつぶやく。「それであたし、今夜はあんなに気持ちよく歌えたのかぁ。あーあ、ばかみたいだね単純で。笑ってやって」

「俺、お前のそういうとこ、好きだよ。皮肉なんかじゃなくてさ」

その時だった。バーのカウンターの横にある事務室のドアがガチャッと開いて、兄貴が顔をのぞかせた。客席をぐるりと見まわして、うさぎに目をとめる。

「ちょっと来てくれないか」

少し迷ってから、僕に向かって、

「お前らも、まあ一緒に入れ」

と言い足した。

楽屋にセイジを呼びに行き、女の子たちを送り出した直樹を含めて四人全員で狭い事務室にぞろぞろ入っていくと、奥に置かれたボロいソファに男が座っていた。以前にも一度か二度見たことがあるような気がする。三十代後半くらいだろうか。兄貴と同じくらいやせた顔に、たれた目尻が危うい感じを添えている。ドスでも持たせたら似合いそうだ。

「オザキといって、俺の古い知り合いでな」

兄貴が言うのと同時にその男は立ち上がって、まっすぐに、射るように、うさぎだけを見た。

「おい、お前」

初対面のうさぎに向かって、いきなりオマエときた。

でもその驚きは、次にオザキ氏が口にした言葉へのそれに比べたら、ものの数ではなかった。

「お前、俺のところからデビューしろ」

突然のことに、うさぎはぽかんと口を開けて立ちつくしている。

負けず劣らず度胆を抜かれながらも、僕の耳は、ある一点だけははっきりと聞き取っていた。オザキ氏は、「お前ら」とは言わなかった。うさぎだけを見つめて、「お前」と言ったのだ。

「じつを言うと、聴かせてもらったのは今夜が三度目だ」とオザキ氏は言った。「お前のその声は、売り物になる」

そばで苦笑しながら腕組みしていた兄貴が、見かねて口をはさんだ。

「こいつの物の言いように腹を立てるな。時間の無駄ってもんだ。こう見えても目と耳は確かだし、つき合ってみればそんなに悪い人間じゃない」

オザキ氏はどうでもよさそうに肩をすくめると、ひょいとセイジのほうを見やった。セイジが無意識にハッと背筋を伸ばす。

「お前のタイコも、磨けばましになる。たぶん、ほとんどの問題は、もう少し年がいけば解決するだろう。でかい音を出せばいいってもんじゃないが、元気がいいのはいいことだ」

セイジは無言だったが、ゴクリとのどが鳴るのが聞こえた。

それからオザキ氏は、僕を見つめた。キンタマが縮みあがるほど鋭い目つきだった。

「ベース」

「……はい」

「手堅いが、それだけだな。はっきり言って、つまらん。今のままじゃ、いくらでも替えがきくぞ」

それだけ言うと、オザキ氏はどかっと再びソファに座りなおした。

それっきりだった。

直樹だけが、何も言われなかった。いいとも、悪いとも……何ひとつ。

7

いつかきっと、メジャー・デビューしてやる――それこそが夢だったのだから喜んでもいいはずなのだが、このところずっと、うさぎは浮かない顔をしてばかりいる。彼女の気持ちはまあ、よくわかる。僕らにとって、コトはそう簡単でもないのだった。

「なんかウツでさ……まいっちゃう」

久しぶりに二人で歩く道々、うさぎは僕に打ち明けた。六限目の国語学概論IIが休講になった僕が、バイトまでの中途半端な空き時間をつぶそうとして吉祥寺駅前の商店街《サンロード》をぶらぶら歩いていたら、偶然、うさぎが山野楽器から出てきたのだ。彼女のほうもこれから家庭教師のバイトに行くところだという。

つるべ落としの日は林立するビルの向こうへとっくに沈み、街はたそがれて、ネオンが寂しげに美しかった。

「もう、いいかげんにハラ決めちまえよ」

と僕が言うと、うさぎは激しく首を横に振った。

「あたしだけデビューだなんて、そんなのやだ。絶対、やだ」

まるで駄々っ子だ。

「なに言ってんだよ」思わず苦笑がもれる。「いまさらそんな甘ったれたこと言ってでうすんだよ」

「だって……！」

駅へ向かって歩きながら、Gジャンに破けたジーンズ姿のうさぎは、むきになって僕を見上げた。

「涯はアタマにこないの？　これまでせっかく四人でがんばってきたのに、いまになってバラ売りにされちゃうなんてあんまりだよ。デビューする時は四人一緒の『Distance』としてじゃなきゃ、意味ないじゃない。オザキさんにも、今度会ったらそう言うつもり」

〈俺のところからデビューしろ〉

その「俺のところ」というのがどこかと思ったら、聞いて驚いた。すでに伝説と化してさえいるロックバンドや、いま売れに売れているデュオなどを手がけた超有名な事務所だったのだ。

兄貴の話によれば、オザキ氏はその中でもかなりのヤリ手なのだそうだ。あの兄貴があれほどはっきり保証するのだから、オザキ氏の見る目は本当に確かなのだろう。そしてまた、そんなオザキ氏が「売り物になる」と言うのだから、うさぎが独特の声で歌う歌はきっと、かなりいいセンいっているのだろう。

そうだとしても何の不思議もなかった。彼女は、親からの遺伝と、育った環境の両方の面で恵まれている。それはセイジも同じことで、家の中には小さいころから音楽があったはずだし、お袋さんゆずりの音感にしろ、親父さんゆずりのリズム感にしろ……みんな持って生まれたものであって、努力して手に入れたものじゃない。

でも、「才能」とか「素質」とかいうものは、本来そういう性格のものにちがいないのだ。あとから努力で身につくものではなく、生まれた時からすでに備わっているものだ。生まれた時に持っていなかったのなら、おそらく一生、手にする機会はない。

そして、凡人がたとえ百年努力したって、才能を持つ者が見せる一瞬の輝きにはかなわない。そのことは、歴史的に証明済みだ。宮廷音楽家としてすでに充分に認められていたサリエリが若造のモーツァルトを殺したいほど妬《ねた》んだのも、デビューを目前にしたビートルズが当初のドラムスだったピート・ベストを追い出して代わりにリンゴ・スターを入れたのも……みんな同じ理由からだ。

うさぎはきっと、産声をあげた時から、この素敵なハスキーヴォイスだったのだろう。それはりっぱに彼女の才能の一部なんだと、僕は思う。単に運が良かっただけじゃないかと言う人もいるかもしれないが、「運」と「才能」は切り離すことなんてできやしない。

ぴったりくっついて1《ワン》セットだ。一枚の紙の、表と裏みたいに。

もちろん、これっぽっちも嫉妬を感じないと言えば嘘になる。正直言って、僕は、うさぎをうらやんでいた。いや、うさぎの才能をうらやんでいた。

オザキ氏に「お前のベースは手堅いがつまらん」と言われたのは、そうとうなショックだった。僕がアタマにきているとすればそのことだったが、その怒りはオザキ氏にではなくて、僕自身に向けられたものだった。

いくらでも替えのきく自分、というイメージは、経験した人でないとわからないかもしれないけれど、ものすごく惨めな気持ちのするものだ。胸の奥はまるで赤ムケのすりむき傷みたいにヒリヒリ痛んでいた。でも、それをうさぎに知られることだけは、なけなしのプライドが許さなかった。こういう生《なま》の感情は、人にぶつけていいものじゃない。僕のベースが今のところ商品になるようなしろものでないのは、うさぎにはまったく関係なくて、あくまでも僕自身が何とかしなくてはならない問題なのだ。

僕は、けんめいに自分に言いきかせた。オザキ氏は、「今のままじゃ」と言った。それは、この先はわからないが、という意味にも取れる。努力で「才能」は身につかなくても、テクニックなら身につけられる。音楽的なセンスだって、磨けばもう少しはマシになるかもしれないじゃないか……。

ざわざわ騒がしい胸のうちを何とかしずめようと、黙って歩いている僕の横で、やがてポツリとうさぎがつぶやいた。

「あたしなんか、全然ふつうなのにな」

「ふつう?」思わず聞き返した。「お前が、ふつう?」

「そうだよ。何にも特別のものなんか持ってないし。ソロなんかじゃ、きっと通用しないよ。四人のうちの一人だから、何とかやってこられただけでさ」

「お前なあ。もうちょっと自分を信用してやれよ」

「オザキさんにも、おんなじようなこと言われた」

「何て?」

「『この世界で本気でやってくつもりでいるなら、もっと闘争心をムキ出しにしなきゃだめだ。ライバルを蹴落とすくらいの気迫がなくてどうする!』って。それとか、『日本じゅうの若い連中に、お前のことを知ってもらいたくはないのか!』とか」

「――ふうん。そりゃすげえな」

「だけど……」

すれ違ったおばさんにドンとぶつかられてよろめいたうさぎのひじを、僕はとっさにつかんで支えてやった。

「……サンキュ」

駅前の横断歩道は、夕方のラッシュでひどく混んでいる。うさぎはうつむきがちのまま、気の抜けたような声で続けた。

「だけどあたし、誰も蹴落としたくなんかないんだよ。『ムキ出しにしろ』なんていきなり言われたって、闘争心なんて初めっから持ってないし、あんまり持ちたくもないしさ。赤の他人に、あたしのことをいろいろ知ってほしくなんかないよ。あたしはただ、歌が歌えればそれでいいだけなのにな」

そうつぶやいた彼女の横顔は、何かに怒っているようでもあり、どことなく心細そうでもあった。

唇をわずかにとがらせたその表情を横目で見ているうちに、僕はふと、ずいぶん昔のことを思い出してしまった。二人ともがまだ小さかったころ……四つか、五つか、どっちにしても小学校に上がる前のことだ。

あれは、近所の悪ガキ連中みんなでかくれんぼをしていて、うさぎがオニになったときだった。僕ら男はみんなで示し合わせて、彼女がどんなに「もういいかい」と呼びかけてもわざと一言も答えなかった。仲間の中でただ一人の女の子だったうさぎを、誰もがいつのまにか、ちょっとずつ意識し始めていたのだと思う。それがそんな他愛のない意地悪のかたちになって現れたのだ。

うさぎの「もういいかい」が、十回を数えたころだろうか。あたりがシーンと静まり返った。

物陰からこっそり首を出して様子をうかがってみると、工場跡の廃屋の前で、うさぎは今みたいに唇を少しとがらせ、小さなこぶしをぎゅっと握りしめて黙りこくっていた。それ以上、僕らを呼ぼうともしなければ、勝手にさがしはじめもせず、かといっていつものようにシクシク泣き出したりもしなかった。ただ強情に口を結んだままで、じっと立ちつくしているのだった。

　でも、その細っこい肩の先に、夕暮れの弱い光が斜めにさしているのを見たとたん、僕は——仲間との約束を忘れたわけではなかったのに——思わず、「もういいよーっ」と大声で叫んでしまっていた。うさぎの心細さが、急に僕自身の心細さとして感じられ、我慢できなくなったのだ。

　要するに……僕がうさぎよりもてんで不甲斐《ふがい》ないのは、昔からちっとも変わってないってことなんだろう。彼女はいつだって、僕の一歩先を、小さな体でとことこ歩いていた。今度のことにしても、うさぎはおそらく、自分の才能に気づいていないのではない。もてあましているのだ。奥底にひそんでいた魔物と急に正面から対峙《たいじ》させられて、自分で自分におびえているだけなのだ。覚悟をきめて飛びこみさえすれば、この世界で生きていくだけの力は備わっているはずなのに、自分の持つ能力をまだ信じられないでいるのだ。

　そして、もうひとつ。うさぎがこんなに迷っているもうひとつの理由も、僕には想像がついた。何しろ長いつき合いだ。夫婦だったらあと五年かそこらで銀婚式ってとこだ。考えそうなことなんか、すぐわかる。

　うさぎは、僕ら「取り残され組」に気をつかっているのだった。身内のセイジや幼なじみの僕なんかはともかくとしても、直樹に対しては、きっと特別の遠慮があるにきまっている。いまだに告白もできないでウジウジしてるだけのくせに、それでもこんなことがきっかけで直樹との間に溝ができてしまうのを、彼女は何よりも一番おそれているに違いないのだ。

「うさぎ、お前さあ」

　ため息と混ざり合った僕の声は、かなり不機嫌そうに聞こえたかもしれない。うさぎはびっくりしたように目を上げた。

「『四人のうちの一人だからやってこられたけど、ソロじゃ通用しない』って、いったいそれ何なんだよ。それじゃ俺らみんな、半人前どころか四分の一ずつってことかよ。直樹もセイジも、俺も」

「そ、そんな意味じゃないよ」

　あわてたように言って、うさぎが立ち止まる。

　僕も足を止めて彼女を見下ろした。勤め帰りのOLや高校生の集団が、迷惑そうに僕らをよけながら通り過ぎていく。

「じゃあ、どんな意味だ？」

「だから……あたしが言ったのは……」

眉を寄せて、うさぎは口ごもった。

「わかってんのか？　四人でバンドやるってことは、四分の一が集まって一になりゃいいってもんじゃないんだぜ」

「わかってるよ、それくらい」うさぎは弁解がましく言った。「一が集まって四になるんだ、って言いたいんでしょ？」

「アホかお前。ぜーんぜんわかっちゃいないじゃないか。それじゃ意味ねえんだよ。四人が集まることで、最低でも四より上のものが出せない限りは、わざわざバンドなんか組んでる意味はねえんだよ」

「………」

口をつぐんでうつむいてしまったうさぎの頭の上から、僕はあえて追い討ちをかけた。

「お前がそんな甘ったれた気分でやってたとは知らなかったよ。あーあ、ガッカリだぜ、まったく」

「そん……そんな言い方しなくたって……」

うさぎが悔しそうに唇をかむ。

「言い方の問題じゃねえだろ？　俺は、心がまえの問題を言ってんの。お手々つないでみんなでデビューだなんて、この世界、そんな甘いもんじゃねえよ。いくら一緒にやってきたバンドだって、足をひっぱる奴がいれば切られて当たり前。切られる奴が悪い。それが悔しけりゃせっせと腕磨くか、それができなきゃ、あきらめて他の道さがす以外にねえんだよ。違うか？」

うさぎは、目を伏せたまま何も言わない。二人とも、人の流れの真ん中につっ立っているせいで、後ろからも横からもドカドカぶち当たられる。

僕はしかたなく、彼女の肩をつかんでもう少し端へ寄った。

駅ビル内のショッピングセンターの前だった。右肩でガラスのドアに寄りかかって、中のエスカレーターを昇り降りする人たちを眺めやる。こうこうと明るいフロアから、ドア越しにヒット曲のインストゥルメンタルが流れてくる。

いつかは、僕の作った曲がこんなふうに街に流れるようになる日がくるんだろうか。その日までに、いったいどれだけのハードルをクリアして、どれだけのツキに恵まれなければならないんだろう。考えただけで、気持ちが萎《な》えそうになる。

「怖いの」

え？　と目を戻すと、うさぎは上目づかいに僕を見あげていた。捨てられた子猫みたいだ。

「わかる？　怖いの」と、彼女は繰り返した。「誰を……何を信じていいのか、全然わかんない。オザキさんも何だか信用しきれないし。適当にそこそこ売れるように作りあげられて、いいだけ使われて、ちょっとでもダメだったらあっさり切り捨てられそうな気がすんの」

「やる前から、ダメだった時のことなんか考えるなよ。自信ってもんがお前にはねえのか」

「……うん。ない」

うさぎの顔があんまり情けないので、僕はちょっと笑ってしまった。

「俺、思うんだけどさ」考え考え、言ってみる。「お前って、歌うことがほんとに大事なんだな。歌ってる時が一番いきいきしてる。一番幸せそうだし、一番お前らしく見えるし。きっとさ、ほかの人に空気とか水が必要なのとおんなじで、お前には歌うことがどうしても必要なんだよ。だからこそよけいに、その道でダメだって言われた時のこと考えると臆《おく》病《びょう》になっちまうんだよ。……違うか？」

「うーん」うさぎは、妙なうなり声を出した。「なーんか腹立つなぁ」

「なんで」

「涯ってば、あたしよりあたしのことよく知ってるみたいなんだもん。あたしなんて、このごろ自分のことがさっぱりわかんないでいるのに」

「そりゃ、お前の頭がニブいだけだろ」

うさぎの頰がぷうっとふくれる。

「だけどさ、うさぎ。これだけは言えるよ。せっかくのこのチャンスを、試してもみないで見送っちまったら……俺、賭けてもいい。お前いつか、きっと後悔するぜ」

「………」

うさぎの頰は、ふくれたままだ。

ガラスをへだてたイベント広場では、屋台に毛がはえたような臨時の店が出て、安いアクセサリーやハンカチを売っていた。制服姿の女子高校生たちが、ワゴンにたかって代わるがわる指輪をはめてみたりしている。

「あの子たちにもさ」と、うさぎは言った。「なりたいものがあるんだろうね。みんな、一コくらいはさ」

「そうかな」と僕。「そうとばかりも言えないぜ？　なりたいものがはっきりわかってるなんて奴は幸せなほうでさ、まだ夢もなんにも見つからなくて焦《じ》れてる子のほうが、けっこう多かったりしてな」

うさぎは僕を見てちょっと意外そうな顔をし、また目を戻して、ガラスに額をつけた。

「あーあ。あの頃はよかったなぁ。夢って、手の届かないところにあるうちが一番ぴかぴか光ってる気がする」

「おいおい、寂しいこと言うなよ。お前が今しんどいってことは俺だってわかってるつもりだけどさ。それにしたって、ちょっと根性なさすぎやしないか？」

うさぎは黙っている。

「才能なんてもんはたぶん、両刃《もろは》の剣《つるぎ》でさ。持たずにいたほうが、そりゃあ気が楽だとは思うよ。けど、お前はもう持って生まれちまったんだ。今さら、なかったことにはできねえよ。こうなったらあきらめて、根性入れ直して踏んばるしかねえんだよ。でないと、へたすりゃお前、いつか自分の才能に押しつぶされちまうぞ」

うさぎは、やっぱり黙っている。

その顔が、何だかとても苦しそうだったせいだろうか。彼女の才能への嫉妬も、先を越されつつある焦りも、この瞬間フッと薄まって、僕は心から言った。

「なあ、うさぎ。俺たちに遠慮なんかすんなよ。お前なんかにいちいち心配してもらわなくたって、俺たちだってやる時ゃやるよ。たまたま今回は、タイミングがズレちまっただけなんだからさ。……な?」

口をつぐむと同時に、耳もとに雑踏のざわめきが戻ってくる。

うさぎは再び顔を上げて、でっかい目で僕を見つめてきた。真剣な表情だった。黒々とした瞳の表面に、僕の上半身が小さく映りこんでいる。

こいつの顔をこんなにアップでしげしげ見るのは、考えてみると久しぶりのことだ。

(こいつって、こんなに可愛かったっけ?)

と、僕はほんとに素直に思ってしまった。マリコさんみたいな成熟した女っぽさはないけれど、かわりに、何というのか——バランスのとれたアンバランスとでも呼びたいような、不思議な魅力がある。肌なんかつるんとしていて、むきたてのゆで卵みたいだ。

「あ、そういえば」ふいに思い出して、僕は言った。「ぜんぜん話ちがうけど、今月お前、誕生日じゃなかったっけ？」

「そうだよ。よく覚えてるじゃん」

まったくだ。昔から、日付けとか電話番号とか、数字を記憶するのだけは自信がある。残念ながら、数学の成績にはまったく無関係だったけれど。

今までもたれていたガラスのドアをぐいっと押し開けて、僕はあごをしゃくった。

「来いよ」

「え？」

「バイトまで、まだ時間あるだろ？　何でも欲しいもの買ってやる」

「うそっ」うさぎの声が一オクターブはね上がった。「ほんとに？　ほんとに何でも買ってくれんの？」

「もちよ。ただし、三千円までな」

「あ、なーんだ」

「いやならやめときな」

「ううん。何にもないよりマシだもん」

うさぎはようやく嬉しそうに笑った。今の今まで悩んでいたくせに、なんて現金な奴なんだろう。このたくましさには頭が下がる。

僕のおさえているドアから滑りこんだ彼女に続いて、僕も入った。風が吹き抜ける駅構内と比べると、中はずっと暖かい。

ふり返って、うさぎは言った。

「あたし、指輪が欲しいな」

「何でもいいけど、」後を追いかけながら、僕はしつこく念を押した。「三千円だぞ三千円」

「消費税は別ででしょ?」

「コミだ」

「ケチ」

カップルが帰った後の客室に入り、くしゃくしゃになったベッドのシーツを新しいのに替える。バスルームを掃除し、湿ったタオルやバスローブを取り替え、ごみ箱の中身を集めてまわる。最後にビデオデッキをチェックして、貸し出したHビデオが入っていれば巻き戻して回収する。

もう、いちいち考えなくても、勝手に体が動く。もしいつか、お客としてどこかのラブホに入るなんてことがあっても、うっかり掃除を始めたりしないように気をつけなくちゃいけない。

客の切れめやヒマな平日には、僕らスタッフは、フロントの奥にある畳の部屋であれこれ無駄話をするのが常だった。たいていは、僕と土屋さんと、僕よりずっと前からいる男の人の三人だった。彼は松本さんといって、三十代後半の、線の細いハンサムだ。

これは僕の推測だけど、土屋さんと松本さんはどうやら、二人で一緒に暮らしているらしい。彼らがかわす会話の端に、ほんの時折、それが感じとれることがあった。

でも、全然いやな感じは受けなかった。男同士の関係なんて、たとえばミュージシャンにはめずらしくもないし、僕だけをのけものにしたり不快な思いをさせたりしないように、二人とも充分すぎるほど気をつかってくれていたからだ。玉三郎ふうの松本さんの相手が、キューピーちゃんみたいな土屋さんだというのは面白い組み合わせだな、とは思ったけれど、人が誰かを必要とするのには、その人なりの抜き差しならない理由や事情があるはずだ。夫のいるマリコさんを、いけないと知りながらも好きになってしまってからというもの、僕にもそのことだけはよくわかるようになった。

世の中の恋人どうしのすべてが、僕とマリコさんみたいに誰にも邪魔されずに抱き合える部屋を持っているわけではなくて、だからこそ、この小さなホテルもやっていける。今どき自動でキーの出てくる機械もなければ、混んでいる時の待合室もないようなホテルだけれど、それでも週末になると、ほんとうにさまざまなカップルがひきもきらず訪れた。

「二人がどういう関係かは、小窓からちらっと見ただけで大体わかるよ」

松本さんは、独特のゆっくりした話し方でそんなことを言う。縦二十センチ、横三十センチくらいの小窓からはせいぜい、部屋のキーを受け取ったり料金を支払ったりする男の手もとや、男の腕にからまる女の赤い爪なんかがちらりと見えるくらいなのだけれど、松本さんは、「長くやってるといやでもわかるようになるものなんだよ」と笑うのだった。

「この二人はいまお互いしか見えてないんだなとか、もう時間の問題だな、とか……中でも一番わかりやすいのは、不倫だねえ」

とすると、たとえばマリコさんと僕が並んでいただけでも、わかる人には不倫だとわかってしまうんだろうか。複雑な気分だ。

複雑で思い出したけど、今までこの仕事をしてきて僕が最も複雑な思いを抱いたのは、客室のシーツを交換しようとして、そこに数滴の赤いあとを見つけた時だった。

その女の子が自分で選んだことなんだからなにも僕がセンチメンタルになる必要はないのだけれど、僕だったら絶対にこういうところで恋人に初体験をさせるなんてことはしないなと思って、何だか胸の奥が痛かった。「こういうところ」でバイトしてるくせに、勝手な言いぐさだとは思うけれど。

「女ってね。つらくされたことは忘れても、優しくされたことのほうはいつまでも覚えているものなのよ」

以前、マリコさんがそんなふうに言ったことがある。

でも、もしそれが本当だとするならよけいに、男は、ここぞという時にはできるだけ女の子に優しくしてやる責任があるんじゃないかと思うのだ。

僕が今日、誕生日にかこつけて、うさぎに何か買ってやりたくなったのも、言ってみればそういう思いの延長線上にあった。うさぎは指輪が欲しいと言ったけれど、三千円で買えてしかもそこそこ見られる指輪なんてそんなにはなくて、僕らは結局、例のワゴンセールのところへ戻ってきた。

うさぎはそこで、右手の中指にはめる指輪をひとつ選んだ。けっこうしゃれたデザインだった。丸っこくて平たい、わざといびつに作られた銀の台に、走るウサギの姿が金色で浮き彫りになっている。

「スターリングシルバーに10金入りでこの値段はお買い得だよ」

と、店のあんちゃんは言った。おつりを出すのがめんどくさいのか、きっかり三千円、消費税はサービス、だそうだ。……まあ、こういうのは気分の問題だから、一応リボンをかけてもらって、ショッピングセンターを出たところで包みをうさぎに渡してやった。

「わあ、ありがと」

あんまり嬉しそうに受け取るので、僕は思わず居心地悪くなって言った。

「直樹からならもっとよかったのにな」

うさぎはサッと頰を赤くした。

「ばか。せっかくちょっとは見直したげようかと思ったのにさ」

そうして、お互いにバイトへ向かう別れぎわ、彼女はまたしても心配そうな顔になって言った。

「ねえ、涯。もしも、だよ？　もしあたしが、一人でデビューすることになっても、直樹はほんとに怒らないかなあ。好きになってもらうなんて無理に決まってるけど、せめて、嫌われたくはないの」

もちろん僕は、そんなことは気にしなくていいと言ってやった。あいつだって男だ、自分のことぐらい自分で始末をつけるはずだ、と。

デビューの話に取り残された直樹が、じつはひどく落ち込んでいて、つい先日もヤケ酒を飲みながら僕に八つ当たりしてたなんてこと……うさぎには、とうてい言えなかった。

8

マリコさんは、ふだんはとてもほっそりして見えるのに、着ているものを脱ぐとちょっとびっくりさせられる。もちろん、太っているという意味じゃない。引っこむところは引っこんで、出るべきところはちゃんと（かなり）出ているという意味だ。

ベッドの中のマリコさんはまるで、温かな体を持った白いへびみたいだ。しなやかでほっそりした腕も、すんなりと伸びた足も、長い髪も……それぞれが別々の意志を持つ生きもののように僕の体にぴたりとはりつき、まとわりつき、からみつき、うごめいて、逆巻く渦の底へと引きずりこもうとする。

僕は必死にそれに抗《あらが》い、自制心をつなぎとめようとしながら、自分からも強引に動いてマリコさんの唇から吐息を引き出す。くしゃくしゃに乱れたシーツの上で、彼女の背中がぐんっとアーチのようにそり返り、黒い滝のような髪がパッと宙に散る。

無言のまま動きを合わせるうちに、少しずつお互いの息が荒く、速くなっていく。僕はマリコさんの柔らかな体を、折りたたんだり伸ばしたり、裏返したり、撫《な》でたりつまんだりする。それが重なっていくうち、彼女は僕のすることをがまんしきれなくなって、とうとうせつなげな声をあげ始める。その声を聞くたびに、僕は、つき上げてくる歓喜と満足感をこらえるために頭がおかしくなりそうになりながら、マリコさんの口をてのひらか唇でふさぐのだ。

ほんとうは、彼女の邪魔なんかしたくなかった。もっともっと、心ゆくまでその甘い悲鳴を聞きたいところだった。なぜならそういう時だけは、僕はマリコさんよりずっと年下のガキだということを忘れて、自分のマリコさんへの影響力を、目で、耳で、指で、体で、はっきりと確かめられるからだ。

でも、こんなに壁の薄いアパートではそうも言っていられない。隣に住む独身の会社員に声を聞かれたくないのは、恥ずかしいとか迷惑だとかいう理由からじゃない。

僕はただ、マリコさんのものならたとえクシャミ一つでも、ほかの男になんて聞かせてやりたくなかったのだった。

マリコさんとこんな関係になってから、僕には好きなものが増えた。きゅうくつなベッドを分けあって横たわり、汗が引いていくのをじっと待つ時間もその一つだ。

たった数分前までこの世でいちばん親密な行為にふけっていた二人が、ふと自分に戻る時間。すべてをさらけ出しあった後の心安さと解放感、そして一抹の気恥ずかしさ。心地よいけだるさにたゆたいながらすぐ隣を見れば、温かで確かな存在があり、引き寄せて抱きしめるのもいいなとは思うのだけれど、そうするにはまだ少し体が熱すぎる……そんな時間。

「俺……どうしちゃったんだろう」

低い天井を見上げながら言ってみた。長距離を全力で走り終えた後のように、声がかすれてしまう。

隣でうつぶせになっていたマリコさんが、僕のほうに顔を向けた。

「どうって、何が？」

もの憂げな声で言いながら寝返りを打ち、ゆっくりと手を伸ばして、彼女は指先で僕の額にはりついた髪をかきあげてくれた。

「すごい汗」

「今日はちょっと頑張っちゃったからね」

マリコさんがくすくすと含み笑いをする。

「笑わなくたっていいじゃないか。自信なくすなあ、もう」

「あら、そんなつもりじゃないのよ」

僕はひじをついて上半身を起こすと、彼女にぐっと顔を近づけた。

「いい性格してる」

「……涯くんたら」マリコさんはため息をついた。

「じゃあ、よかった？」

「いいから答えてよ」

「わかってるくせに」

「でも、マリコさんの口から聞きたい。……いてっ」

僕の脇腹をぎゅっとつねった彼女の上におおいかぶさって、わざと体重を全部かけてやる。

僕の体のデコボコは、あつらえたように彼女の体のそれに対応する。

「重いったら、つぶれちゃうわ」苦しそうな、でもまんざらでもなさそうな声で彼女が言う。「ねえ、どうしちゃったんだろうって、どういうこと？」

「うん？　つまりさ、こうしてマリコさんとするたびに、俺、どんどん自分が変わっていく気がするんだよな」

「変わってくって？」

「うまく言えないけど、自分でも不思議なくらい、次から次へと知らない俺が出てくるんだよ。それも、一回するごとにエスカレートしてくんだ。あなたを誰にも渡したくないとか、ぜんぶ自分の中に取り込んじまいたいとか、ほかの奴に見せたくないとか」

マリコさんは、僕の下でフッと微笑んだ。

「嬉しいこと言ってくれるのね」

「嬉しい？」

「そりゃそうよ。そこまで言われてイヤな気持ちのする女なんていないわ」

「ふうん……」

僕は、彼女の顔をまじまじ見つめた。冗談やお世辞じゃなく、どうやら本心からそう思ってくれているらしい。

「ちょっと意外だな。こんなふうに束縛したがる男なんか、マリコさん、イヤなんじゃないかと思ってた」

「実際に束縛されるのは好きじゃないけど、束縛したがる男は好きよ。かわいくて」

僕は、ガックリと崩れてため息をついた。

「かなわねえよなあ、まったく」

「なに当たり前のこと言ってるの」マリコさんはころころと笑った。「私と張り合おうだなんて、十年早いわ」

とどめを刺されて、僕は彼女の上から転がり落ちた。自分の枕に顔から沈み込み、片目でマリコさんをにらみながらチキショー、とつぶやく。

「何でよりによって、こんな厄介な人に惚れちまったのかなあ」

「ちょっとそれ、ずいぶんじゃない？」

「だって、こんなの初めてなんだよ」ちょっとヤケになりながら、僕は言った。「中学ン時も、高校ン時も、そこそこ好きになった女のコはいたけど、こんなに自分の中身がぐちゃぐちゃにひっかき回されるようなことはなかったし。なんていうか、マリコさんがそこにいるだけで俺、勝手に化学反応おこしちまうんだ」

何気なくその言葉を口にしたとたん、うさぎの顔が浮かんだ。その表現を最初に使ったのは、彼女だったのだ。

指輪を買ってやったからというわけではないのだろうが、うさぎはあれ以来、前よりずっとひんぱんに僕と言葉を交わすようになっていた。デビューの件についてだけじゃなくて、彼女にとっての音楽とか、直樹に関する悩みとか、そんな相談も受けた。

成長するにつれていつのまにか僕らの間に出来てしまっていた垣根が、あの時をきっかけに溶けてなくなった、とでも言えばいいだろうか。話の内容はともかく親密さだけを取ってみれば、まるで一緒に遊んだ子供時代がもう一度戻ってきたみたいな感じだった。

〈涯が、島村先生のこといちばん女っぽいなあって感じるのって、どういう時？〉

うさぎにそう訊かれた時、僕は答えた。

〈そりゃお前、ベッドの中じゃねえか？〉

たったその程度のことで耳たぶを赤くしながらも、うさぎは見栄《みえ》をはって平気なふりを装おうとする。僕は言ってやった。

〈お前だって、もうちょっとそっちの経験を積んだら女っぽくなるんだろうにな。何なら

俺が手伝ってやろうか。ボランティアで〉

　返事のかわりには、例によってカバンが飛んで来た。

　そうして、そんな他愛のない無駄話のあいまに、うさぎはまじめな顔で言ったのだった。

〈ねえ、涯。誰かを好きになるのってさ、化学反応みたいなものだと思わない？　ほら、化学の実験でよくやったじゃない。試験管の中身にスポイトで別の液体を加えると、一瞬で違う色になったりさ。ブルーの液に透明なのを加えたら、サーッとピンクに染まっちゃったり。ちょうどあんな感じ？　誰かのこと好きになると、自分が今までとは全然ちがう色に染まっちゃうでしょ。相手と顔を合わせたり、口をきいたりするたんびに、どんどんどんどん、別の生きものに変わってっちゃう。そういうのを、恋って呼ぶんだよ、きっと〉

　もしそれが当たっているとしたら……と、僕は思った。はたしてマリコさんは、僕に恋をしてくれているのだろうか？

　仰向けになって、隣を見やる。枕元のサイドテーブルに手を伸ばしかけていた彼女は、ネスカフェの空き瓶を取って中からマッチを一個つまみ出した。彼女が集めたマッチはもう、瓶の三分の二くらいまでたまっている。

　シュッと擦《す》って煙草に火をつける優雅な仕草を見ながら、僕は言った。

「マリコさんはさ。俺とこうなってから、変わった？」

「なあに、急に」

「これには答えてよ。変わった?」

彼女は、枕に頬杖をついて僕を見た。

「もちろん、変わったわ。……どうして?」

「ううん。ならいいんだ」

僕は、彼女の指から煙草をもぎとっておいて抱きすくめた。

どんなふうに変わったのか、何がどれくらい変わったのかは、訊けなかった。とても訊きたかったのに、なぜか訊けなかった。


うさぎが恋をすると、こんなにもけなげに変貌《へんぼう》するとは意外だった。バンドの練習中でも、貸スタジオや『ヴァルハラ』からの帰り道でも、いつもこっそり直樹を目で追っている。

直樹に気づかれないように、ということには気がまわるのだが、僕やセイジに気づかれないようにと考える余裕まではないらしくて、はたからは彼女の視線の行き先が一目瞭然《いちもくりょうぜん》なのだ。その一途《いちず》さといったら、なんだか見ているこちらが哀しくなってしまうほどだった。

直樹のほうはといえば、ごくごく普通に、今までどおり優しく彼女に接していた。気のきいたジョークだってとばすし、僕やセイジがうさぎをからかってムクレさせるのを直樹がなだめる、というパターンも変わらなかった。うさぎの気持ちに気づいているような様子は一度も見られなかった。

うさぎは、そのことに救われているんだろうか。もしかしたらうまく隠しおおせていると思って安心しているかもしれないし、あるいは、なかなか気づいてくれないと思ってヤキモキしてるのかもしれない。うさぎも、そこまでは僕に言わない。

でも、他の男ならともかくあの直樹が、自分に向けられる熱いまなざしに気づかないなんてことがあるはずないのだ。それなのに気づかないふりをするってことは、要するに、奴にはうさぎの気持ちにこたえるつもりがないってことなのだろう。少なくとも今のところは。

そう思うと、僕はますますうさぎを見ているのがつらかった。口を出すべきじゃないとわかっていても、つい言いたくなってしまう。そんな苦しい恋なんかやめちまえよ。何もわざわざ直樹みたいな遊び人にこだわらなくたって、男は星の数ほどいるんだぞ……。

そして正直なところ、こんなふうにも思った。もしも今自分にマリコさんという人がいなかったなら、僕はもっと積極的にうさぎの恋に口出しをしていたんじゃないだろうか。それも、「男は星の数ほど……」だなんて、言い古されてるわりに中身のない言い方じゃなくて、はっきり「男はここにも……」と口にしていたんじゃないだろうか、と。

ひたむきに恋をしているうさぎを横から眺めているうちに、僕の中にもささやかな変化は生まれていた。

「幼なじみ」という存在は、本来、性別を持たない。鉛筆や、こたつや、水道の蛇口に性別がないのと同じように、「幼なじみ」は、男とか女とかの概念とはまったく別のところに（あるいはもっとも遠いところに）存在しているものなのだ。

そういう意味において、うさぎはもう、僕の「幼なじみ」ではなくなりつつあった。いつのまにか僕は、内山浅葱を一人の女のコとして眺めるようになっていた。姿や仕草はあいかわらず女っぽくも何ともなかったけれど、もっと根本的な部分で……言ってみれば、男としての本能の部分で、僕は彼女に、自分とは違う性を感じるようになっていたのだ。

でも、僕が思うに、うさぎの損なところは「なりふりかまわず」という芸当ができないことだった。そんなに直樹が気にかかるなら、無理して気にならないふりなんてしなければいいんだし、いっそのこと犬ころみたいにシッポをふってくっついてまわったほうが可愛いんじゃないかと思うのだが、彼女にはそれがどうしても難しいらしい。見かけどおりの気の強さと、見かけによらないシャイな性格とが邪魔をしてしまうのだ。

はたから眺めて気をもむ一方で、僕は、うさぎが相談を持ちかけてくるたびに何と答えてやればいいのか迷った。「想い続けていればいつかきっと通じるよ」と言ってやるのも、「当たって砕けㇿの覚悟で告白してみろよ」と言ってやるのも、どちらも簡単なことではある。でも……聞きたくもなかった直樹の本音を聞かされてしまった後では、軽々しくうさぎをけしかけることなんてできなかった。

直樹は、彼のギターをオザキ氏が一言も批評してくれなかったことに、むちゃくちゃ傷ついていた。

〈ボロクソに言われたほうがまだマシだったぜ〉

と、あの日、酔いのまわった直樹はうめくように言った。

大学のそばにある狭い居酒屋だった。僕が吉祥寺でうさぎとばったり会った日の、ほんの数日前のことだ。マリコさんの待つ部屋に早く帰りたくて急いでいた僕を、強引というよりほとんど力ずくで誘った直樹は、ビールの大びん二本とチューハイを数杯ちゃんぽんで飲んで、すっかり目がすわってしまっていた。

〈なあ、不公平だと思わないか?〉

焦点の定まらない視線を何とか僕にあてようとしながら直樹は言った。

〈何が〉

〈とぼけんなよ。お前だってほんとはそう思ってるくせに〉

答を期待しているわけではないらしく、まるで僕の後ろの壁に向かってしゃべっているような調子だった。

〈考えてもみろよ。俺ら、今までどれだけ練習してきた?　毎日毎日、ひまさえありゃギター抱えてさあ、手首の腱鞘炎《けんしょうえん》ガマンしながら歯ぁくいしばって弾いたよな。指先のマメがつぶれて、ネックが血でぬるぬるになったこともあったよな。それがどうだよ、結果がこのザマだぜ。たいして苦労もしてないあいつのデビューだけがポンと決まっちまって、俺らは置いてきぼりときたもんだ。結局、今までやってきたことなんか全部無駄だったたってことさ〉

ちきしょう……と頭をかかえこんだ直樹がひじをついた拍子にビールびんが倒れて、まだ少しだけ残っていた中身が、子犬のおもらしみたいにテーブルの上を流れた。

〈よくあることじゃないかよ、引き抜きなんて〉倒れたビールびんを立てながら、僕は言った。〈そう深刻になるなって〉

自分だって少なからずうさぎの才能に嫉妬していたくせに、まったく偉そうなことを言えたものだ。

直樹はのろのろと目を上げ、中にいる何かを追い出すように頭をふった。

〈そりゃあな。俺だって喜んでやりたいのはやまやまだよ。うさぎは俺らが見込んだヴォーカルだもんな。仲間だもんな。だけど……どうしようもないんだ。自分でも情けないと思うけど、あいつを見るたびに条件反射みたいにイライラしちまう。あいつが悪いわけじゃないのはわかってるのに、どうしてもだめなんだ。……くそぉ、なんでお前はそんなに落ち着いてられるんだよ。ええ？　何とかしてくれよ〉

そう言われても、僕にはどうすることもできなかった。

悩みごとってやつには、大きく分けて二種類ある。考えればどうにかなることと、考えてもどうにもならないこと。その二つだ。

デビューに関するうさぎの悩みはどちらかと言えば前者だが、直樹のは後者だった。当の直樹だっておそらく、本当に僕に何とかしてほしいと思っているわけではなく、ただ単に、誰か強がってみせなくてもいい相手に本音をぶちまけ、愚痴をこぼしたかっただけなのだ。

もう少し時間がたってほとぼりがさめるまで、そっとしておくしかないんだろうなと僕は思った。

それにしても、なんだってどいつもこいつも僕のところへばかり悩みごとを持ち込んでくるんだろう。ったく、駆けこみ寺じゃあるまいし。

ようやく解放されて部屋へ帰ってから、そんなふうにマリコさんに言ってみたら、

〈べつに、不思議でも何でもないわ〉彼女はこともなげに言ってのけた。〈それって、あなたの体質だもの〉

〈体質?〉僕は思わず訊き返した。〈そういう問題かなあ〉

〈あら、もめごとを持ち込まれやすい体質って確かにあるのよ。そういう人に対しては、誰もがつい弱みを見せてしまうの。甘えやすいっていうか、もたれかかりたくなるってい

うか〉

〈つまり、頼りがいがあるってこと？〉

〈んー、それともちょっと違うんだけど〉

僕ががっかりして肩を落とすと、彼女は笑って言った。

〈頼りないっていう意味じゃないわよ。げんに私だって、あなたにはどんなに……〉

ふっと言葉がとぎれた。

目を上げると、彼女は僕が今までに見たことのない種類の微笑を浮かべていた。不安定で、あいまいで、今にも何か別のものにすりかわってしまいそうな微笑。ほんの一瞬でその微笑は消え、すぐにいつもの見慣れた笑みに変わったのだけれど、僕は、見てはいけないものを見てしまったような気がしてたまらなく不安になった。

不安といっても、僕が怖いのは、彼女との関係が誰かにバレることじゃない。結果として、彼女を失うことだ。二人のうちのどちらかが少しでも不注意なことをしでかせば、ばらばらに崩れてしまうのは僕らの間の関係だけじゃなくて、僕自身であり、彼女自身であり、今はニューヨークにいるダンナと彼女とが築いてきた生活でもある。いや、たとえ彼にバレなかったとしても、マリコさんが夫を裏切り続けているという事実（あるいは僕が裏切らせ続けているという事実）は変わらない。

そのことは今となってはよくわかっているつもりだが、最初からそれを覚悟でマリコさんとこうなったのかと訊かれれば、僕は黙りこむ以外になかった。正直言って初めのうちは、これほどまでに彼女にのめり込むなんて想像もしていなかったのだ。

過大な期待をしないようにいくら自分に言い聞かせても、感情は決して思いどおりになってくれなかった。いくつもの夜をマリコさんと過ごし、その体をすみずみまで知り、どこをどうすればどんな反応を示してくれるかまで熟知していくうちに、僕は、彼女が自分だけのものでないことがどうしても納得できなくなってきたのだ。

僕よりもうまく彼女を抱ける奴がいるなんて思えない。僕よりも彼女を大事に想ってる奴がいるとも思えない。ダンナだって例外じゃない。いくら仕事があるからって、もしも本当に彼女のことが大事なら、一人きりで寂しい思いをさせておくことなんかできるはずないじゃないか……。

もちろん、そんなこと、面と向かってマリコさんに言うわけにはいかなかった。言ったってどうにもなりはしない。彼女を困らせるか、悪くすれば傷つけてしまうだけだ。そうして、言えないぶんだけ、僕はどうしようもなく苛立《いらだ》った。駄々なんかこねて彼女に愛想を尽かされたくないと、本当の気持ちをおさえこめばおさえこむほど、じれったさと苦しさは増した。胃の内側の壁が全部ささくれだって、そこから血が噴き出しそうな思いがした。もののたとえじゃなく、もしかするととっくにそうなってしまっているのかもしれなかった。

現実ってやつは、どうしてこうも容赦がないんだろう。

ある朝、シャワーを浴び終わって出てきたマリコさんは、ベッドの横に立って僕を見おろしながら言った。

「明日からしばらく、逢えないわ」

何げなく聞こえるようにずいぶん予行演習した感じの何げなさだな、というのが第一印象で、言われた内容がはっきり理解できたのは、三秒くらいたってからだった。

がばっとベッドに起き上がって彼女の腕をつかんだ。

「なんで⁉」

引っぱった拍子にバランスを崩したマリコさんが、僕の上に倒れこんでくる。抱きとめてかかえこむと、僕はくり返した。

「なんでだよ?」

彼女は、ふう……とため息をついて、僕に体の重みを全部あずけてきた。押されるようにして再び横たわった僕の胸板の上に、彼女の冷たく湿った髪が触れ、それから温かな頬が押しあてられる。

そのままの姿勢で、マリコさんはぽつりとつぶやいた。

「彼が帰ってくるの」

僕の心臓がドカドカ暴れ狂うのを、彼女はじっと聞いているようだった。

「………」

やりきれなかった。しょせん俺は二番手なんだ、と思った。正選手はダンナで、僕は補欠にすぎない。空き家をこっそり借りている浮浪者みたいなもんだ。持ち主が帰ってきたらコソコソ逃げ出すしかないのだ。

「しばらくって、どのくらい?」

やっとのことで声を押し出すと、

「そんなに長くじゃないのよ」とマリコさんは言った。「すぐまた向こうへ戻るそうだから。こっちにいるのは、たぶん三週間か、せいぜい一か月くらい」

「じゅうぶん長いじゃないか」と、思わず口をついて出てしまった。「一週間だって、三日だって長すぎるくらいだよ」

「……そうよね。ごめんなさい、無神経な言い方だったわね」

低い声でマリコさんは言った。

僕は黙っていた。

「でも、涯くん」

「わかってるよ」抱きしめていた腕の力を抜いて、彼女を解放する。「心配しないでいいよ。困らせるつもりなんかないからさ」

何とか笑ってみせながら、起き上がった彼女の表情をちらっとさぐった。

そのときだ。

「やめて」ぴしゃりとマリコさんが言った。「そんな卑屈な目をしないで」

「………」

ショックで固まっている僕をまっすぐに見すえて、マリコさんはなおも続けた。

「涯くん、あなた、いま自分がどんな顔してるかわかってる？」

「………」

「何度か言おうと思ってたけど、このごろあなた変よ。いちいち私の顔色うかがったり、ごきげんとったり」

「ご、ごきげんなんか」

「とってないって言える？」

僕は口をつぐんだ。

さすがに大学で教えているだけのことはある。マリコさんの指摘は、どれもこれも核心をついていた。

僕が彼女の顔色をさぐってしまったのは、立場をわきまえておとなしく引き下がったことで、彼女がどんな顔をするか知りたかったからだ。困らせたりしないと言ってやった瞬間、もしかしてホッとした表情を浮かべるんじゃないかと思った。実際にそんな表情を見れば決していい気持ちはしないはずなのに、まるでマゾヒストみたいに、わざわざ確かめずにいられなかった。

　自分で自分があんまり情けなくて、むかむかしてきた。ましてや、マリコさんがどれほど僕を情けなく感じただろうかと思うと、この場から消えてなくなってしまいたかった。身の置き場のなさでは、その昔、エロ本をオカズにしている現場をおふくろに見つかった時以上だった。恥ずかしい、なんて生やさしいもんじゃない、これは、「恥」だ。

「ねえ、涯くん」

　マリコさんは口調を和らげ、少し心配そうに僕をのぞきこんできた。

「あなた、何をそんなにびくびくしてるの？　何が怖いの？」

「…………」

「もしかして、そうさせているのは私なの？」

　そうじゃないよ、なんて嘘をつくこともできず、かといって、その通りだよ、と素直に認めることもできず――僕はとうとう苦しまぎれに、マリコさんに向かって初めての言葉をぶつけてしまった。

「悪いけど……今日は帰ってくれる」

　彼女は、それ以上、何も訊こうとしなかった。

　マリコさんが着がえるひっそりとしたきぬずれの音を背中で聞きながら、僕は、何度もふり返ろうと思った。ひとつ寝返りを打って、少しすねたふうで「ゴメン」と謝り、ついヤキモチをやいちまったんだ、と言えば済むことなのかもしれない。年下のガキならガキらしく、意地なんか張らずに彼女に甘えてみせれば、何もかも丸くおさまるのかもしれない……。

でも、そんなのはまっぴらだった。安っぽい昼メロにでも出てきそうな年下の愛人役を、そつなく演じとおしたからって何になるというんだろう。僕は一人前の男としてマリコさんを支えたかったし、彼女がよりかかりたいと思った時に頼れる存在でありたかった。駆けこみ寺でも避難場所でも何でもいいから、とにかく彼女にとって替えのきかない、特別な存在になりたかったのだ。

着がえ終わって部屋を出ていくまぎわ、マリコさんは、壁のほうを向いて寝ている僕の上にかがみこんできた。肩先に柔らかいものがそっと触れる。見なくたって、唇だとわかった。

「また連絡するわね」

(それは、こっちからは連絡するなってことかよ)

いいかげんいじけきってしまった心の中でつぶやく。

パタンとドアの閉まる音がして、階段を下りる彼女の足音が遠ざかっていった後も、僕は、かたくなに壁をにらんでいた。

9

マリコさんと逢うことのできない毎日は味気なかった。時計の針の進み方はカメの歩みを見るようで、一日は何のメリハリもなしにだらだらと過ぎ、だらだらと終わる。今日は昨日の続きでしかなく、明日は今日の続きでしかない。

マリコさんの姿が見られるのは授業の時だけだった。なまじ顔なんか見てしまうと逢えないつらさが倍増するのがわかっていたけれど、それでもやっぱり出席しないではいられなかった。

大きな黒板の前で観阿弥《かんあみ》だか世阿弥《ぜあみ》だかのことを話しているマリコさんを、ノートもろくに取らずに眺めながら、僕は、頭の中で彼女のスーツのボタンをはずしたり、ブラウスを一枚ずつ脱がせたりしていた。一時間たらずの授業の間に百回くらいは脱がせたかもしれない。あんまりぼんやりしていると、本当にふらふら前へ出ていってしまいそうだった。

授業、バンド、バイト。

授業、バンド、バイト。

毎日毎日、それのくりかえし。

いやというほどくりかえしたつもりでも、数えてみるとマリコさんと逢わなくなってからほんの一週間ほどしかたっていないのだった。

でも、うさぎたちと集まってバンドの練習をしている時だけは、どうにかマリコさんのことを忘れていられた。四人の出す音が共鳴しあって、頭の中があふれるくらいにいっぱいになると、ほかのことは何も考えられなくなってしまう。それは、今の僕にはありがたいことだった。


いつものように、定休日の『ヴァルハラ』での練習を終えて後片づけをしている時だ。

ふいにセイジのやつがほざいた。

「誰か、オレと援交してくれる人いないかな」

ぶっと直樹がふき出した。

「何だよそれ。お前ホモっけあったのかよ、あぶねえな」

「違うって」と、セイジは気色悪そうに言った。「おっさん相手なわけねえだろ。相手はマダムよ、マダム。そこそこ若くてきれいで気前のいい人だったりしたら、オレもう大サービスさせてもらっちゃうんだけどな……あ痛ってぇッ」

マイクのケツで奴の頭を殴ったうさぎは、目を吊り上げて言った。

「世の中ナメんのもたいがいにしなさいよ。そんなきれいなマダムが、なんでわざわざあんたなんか援助してやんなきゃいけないのよ。頭の骨でも折ったんじゃないの？」

「折ったとしたら今だよ」殴られた頭をさするセイジは涙目になっている。「だってよう、ぜんぜんカネ足りねんだもん。バイトなンて、いくらやったって追いつかねえよ」

そうは言っても、当面僕らには、バイト以外に金の入ってくるあてなんかない。練習が長引いたために、うさぎと直樹の二人は、片づけもそこそこに先に帰ることになった。

「おーい、うさぎぃ」と後ろからセイジがどなった。「いくら大好きな直樹と二人っきりになれて嬉しいからって、あんましべたべたくっついて歩くんじゃねーぞー！」

ギクリとするようなことを言う。さっきの仕返しのつもりらしい。

直樹は苦笑いしていたが、うさぎは真っ赤な顔をして振り向くと、こっちに向かって中指を一本つき上げてみせた。

やれやれと笑いながら、セイジが僕を見る。

「あれが女のやることかよ、なあ」

定休日の店にいるのは、あとは僕ら二人だけだった。最小限の明かりだけをつけたステージや客席はがらんとして、まるでクジラの胃袋の中みたいにうつろな感じがする。

「で、その後どうなのよ」

と、いきなりセイジが言った。

「何が?」

「おたくのマダムのことにきまってるっしょ?」

自前のスネアドラムをセットから取りはずして黒いケースに入れながら、セイジは上目づかいに僕を見てニヤリとした。「おたくら、うまくいってんの?」

「お前に関係ねえだろ」

僕はできるだけぶっきらぼうに言った。

「あるさぁ。いっぺん会わせてくれるって約束したじゃん」

「嘘つけ。お前が勝手に会わせろって言っただけじゃないか」

「あれ、そうだったっけ?」セイジはすっとぼけた。「ったく、うらやましいよなあ。オレなんか、せーっかくリッパなもん持ってたって、ここんとこションベンにしか使ってやってないんだぜ? 宝の持ちぐされってやつよ」

それからふいに真顔になり、

「あのさ、涯」奴は、そばにあったスツールを引き寄せて腰をおろした。「オレ、一度訊いてみたいと思ってたんだけどさ。あんた、その先生とはマジに本気の恋愛しちゃってるわけ? それともどっちかってぇと、あっちのほうの相性がむちゃくちゃ良くて離れらんないとか、そういうことなわけ?」

「……………」

　黙ったままベースのチューニング・ペグをひねり、弦を四本ともゆるめた。ヘッドからネック、さらにはボディの先についているストラップを引っかけるピンにいたるまで、布でていねいになでまわし、汗や指紋をきれいにぬぐってやる。ソフトケースの中にすべりこませ、ジャッと音をたててチャックを閉めてから、僕は言った。

「その両方じゃ、どうしていけないんだ？」

「いけなかねぇよ。でもオレって性格ゆがんでるもんでさ、たとえばあっちのほうが充実してるなんて聞くと、何となく疑問を抱いちゃうのよ。ほら、涯と先生の場合はやっぱ、人目を忍ぶ仲なわけじゃん？」

「だから？」

「だから……確かな約束も目に見える保証も何もない、あるのは二人の愛だけよ、みたいな気分で抱き合えば、そりゃキモチイイよなぁと思って。そういう最高の一瞬には、思わず『愛してる』とか錯覚しちゃっても無理ないなぁ、なんてさ」

「セイジ、お前……」ベースを壁に立てかけて腕を組む。「奥歯にモノでもはさまってんじゃねえのか？　言いたいことがあるならさっさと要点を言えよ」

「べつに、要点なんかないよ」

　セイジは口をへの字にゆがめた。

「ただ……抱き合うことで確かめられるものなんか、ほんとは何にもないんじゃないかと思っただけだよ」

うさぎが直樹にはっきり失恋したのは、その同じ日だった。ホテルのバイトを終えた僕が、アパートの部屋まで帰り着いてみると、ドアの前に彼女が座ってひざをかかえていたのだ。

捨て猫みたいに心細そうな横顔の表情は、僕に気づいてハッと目を上げたと同時に、いつもの勝ち気な顔の下に隠れた。

「やっぱり、フラレちゃったぁ」

あっけらかんとそう言いながら、うさぎは、あはは……と笑った。頬にも涙のあとはなかった。ただ、引っぱって立たせようと手をとったとき、僕はあまりの冷たさにびっくりした。ずいぶん長い間そうして座っていたのだろう。

彼女を部屋に上げて無理やりこたつにつっこみ、いつかのように熱いコーヒーをいれてやる。

「冷める前にさっさと飲めよ」

「……ん」

うさぎは湯気の立つコーヒーをすすって、おいしいね、とつぶやいた。

どこまでいっても俺の役目は駆けこみ寺だな、と思ってみる。マリコさんの言った「体質なのよ」という言葉を思い出したら苦笑がもれたけれど、相手が直樹の時とは違って、自分でも不思議なほど、面倒くさいとかうざったいなんて気持ちは起きなかった。こういう時にまっすぐ僕のふところへ飛びこんできたうさぎを、なんだか愛《いと》しいとさえ思った。

うさぎによれば、きっかけは、別れぎわにセイジが飛ばしたあの野次だったそうだ。

〈いくら大好きな直樹と二人っきりになれて嬉しいからって、あんましべたべたくっついて歩くんじゃねーぞー!〉

とたんに直樹との間に、気まずい空気が流れてしまったらしい。外への階段を上りながら、一段ごとに、(あいつ、帰ったらタダじゃおかないから)(何とかうまくフォローしなきゃ、直樹に変に誤解されちゃう)(でもほんとは誤解じゃないんだけどな)……オロオロ考えてようやく地上へ出たところで、直樹が言った。

〈セイジのやつ、何つまんないこと言ってんだか。なあ〉

思わず、

〈つまんないことなんかじゃないよ!〉

めいっぱいマジな調子で否定してしまったそうだ。

やばいと思った時には後の祭りだった。驚いたようにふり返った直樹の視線に耐えきれず、うさぎはゆでダコみたいな顔でうつむいてしまったのだ。あとには、それまでとは比べものにならないほど気まずい沈黙が待っていた。

墓穴《ぼけつ》を掘ったばかりか、自分から穴に飛びこんで土をかぶったようなものだ。あまりのお粗末さにあきれかえっている僕の顔を見て、うさぎは無理に作り笑いをした。

「ポロッと口走った瞬間、顔がムンクの『叫び』になっちゃったよ」

「情けないっつうか、お前らし過ぎるっつうか……昔からお前のことはアホだアホだと思ってたけど、やっぱり正真正銘のアホだったたな」

言い返してくるかと思ったが、

「うん……ほんとだね」

うさぎは、さすがにしょんぼりとうつむいた。

「でも、何ていうかほら……歌い始める前にさ、出だしの音をはずさないようにはずさないようにってあんまり意識してると、かえってド派手にはずしちゃったりするじゃない。ああいう感じだったんだよ」

わかるような気もする。僕にも経験がある。足もとがあちこち穴ぼこだらけだってことをちゃんと知っている奴ほど、ふらついて吸い寄せられるように落っこちてしまい、まったく穴の存在を意識していない奴のほうがうまく歩いていけたりする――世の中ってのは、案外そんなものかもしれない。

立ちあがって、冷蔵庫の中から缶ビールを取り出した。

「うーん」うさぎが渋い顔をした。「もっと強いのないの？」

「飲むか？」

親父さんの影響か、こいつは酒にはけっこう強いし、あれこれうるさい。

「しょうがねえな。今晩くらい、つき合ってやるか」

僕は、食器棚の奥から最高級のブランデーを出してやった。マリコさんがボトルキープしているやつだが、どうせ彼女はしばらく来ないのだ。

「それにしてもさあ」グラスを目の前に置いてやりながら、僕は言った。「何もよりによってサンロードぶらつきながら告白することはなかったんじゃないか？　ムードもへったくれもありゃしねえ」

うさぎは、鼻のあたまにしわを寄せた。

「告白しようと思ってしたわけじゃないんだってば。ムードのことまで考えてる余裕なんかあったら、最初からあんなこと口走るはずないじゃん」

それもそうだ。

直樹は、ゆでダコ状態のままうつむいているうさぎに向かって、言いにくそうにこう言ったのだという。

〈ごめん。友だちとしては最高だと思ってる。でも、悪いけど、お前のことオンナだと思って見たことないんだよな〉

そして、冗談にまぎらせるように笑って、つけ加えたそうだ。〈それに俺、処女とはつき合わないことにしてるんだ〉と。

「ええッ？　お前って処女だったの？」

思わず大声を出してしまった。

「……なによ。悪い？」

「いや、俺はまたてっきり……」

あー驚いた、全然知らなかったぜ、いやはや、こりゃこりゃ、とくり返していると、

「うるさいなあ、もうっ！　ほっといてよッ」

うさぎは握りこぶしをふりまわして怒った。

「それだけ元気なら、心配ねえな」

わざと憎まれ口を叩いてからかいながら、僕は、テーブルの下で自分の膝がしらを握りしめていた。直樹の野郎、上等じゃないか。断るにしてもせめて、もう少しうさぎを傷つけない言い方はなかったのかよ。

やがて、ボトル半分ほど残っていたブランデーをほとんど一人で空けたうさぎは、ろれつのあやしくなった舌で大胆なことを言いだした。

「ねえねえ、涯。こないだクラスの女の子がね、『処女を失った翌朝は世界が違って見えた』って言ってたんだけど、あれって、そういうもの？」

「俺は、処女だったことがないのでわかりません」

言いながら頭に浮かんだのは、バイト先のラブホの部屋のシーツに点々と散っていた赤いしるしのことだった。あの部屋に泊まった女の子もやっぱり、翌朝は世界が違って見えただろうか。だとしたら、どんなふうに……？

いっそのことうさぎにも、ホテルでバイトしてることを打ち明けてみようかな、とチラリと思ったが、やっぱり今夜のところはやめにした。ずいぶん大人になったかと思えば変なところで子供っぽいやつだし、どういう反応を示すか、いまひとつ予想がつかない。

「あたしだってさ、そんなに必死ンなって処女守ってるわけじゃないんだよ」

僕の戸惑いなんかにはおかまいなしに、うさぎはますます過激なことを口走り始めた。

「ただなんとなく、今までそういう機会がめぐってこなかっただけなんだよ。この人ならおっぱいもお尻もぜーんぶ見せちゃってもかまわないって思える人が、現れなかったんだからしょうがないじゃない、ねえ」

「い……いいんじゃないか、別にそれで」と、僕は言った。どうも押されぎみだ。「処女なんて目に見えないもの、意地になって守らなきゃいけないもんでもないだろ。だからって無理に捨てるもんでもないだろうしさ。大事に守らなくちゃいけないものは本当はもっと他にあるって考えれば、それにこだわる必要もないし、逆に、処女ってやつをその守るべきものの象徴だって考えるなら自分でちゃんと大切にしてけばいいんだし。要するに、ふつうにしてればいいんだよ。自然体でいればさ」

うさぎは、まじまじと僕の顔を見ていた。

「……ふうん」

「何だよ」

彼女は、ほてった頬を冷たいこたつ板に押しつけてクスクスと笑った。

「涯ってさあ……」

「だから、何」

「けっこう、いいヤツだよね。こういう時は素直に、そばにいてくれてよかったなって思っちゃうよ」

顔から火が出るとは、こういうことをいうのだろうか。幼なじみから面と向かってそんなふうに言われるのは、マリコさんから言われるのとはまた別の、何だかいたたまれないような照れくささがあった。

内心の動揺とは裏腹に、僕はわざと不機嫌な無表情を装って言った。

「今ごろわかったのかよ、ばーか」


うさぎはとうとう朝まで僕の部屋にいた。

もちろん、何もありはしない。こたつで向かい合い、明け方ごろまで妙に明るい酒盛りをして、酔いつぶれたうさぎがさすがに少し泣き、それから二人ともひっくり返って寝ただけだ。寝ている間にこたつの中で何度か足の蹴り合いはしたが、それだけだった。

僕が直樹と顔を合わせたのは、それから二日後のことだ。ヤツとは近世文学のゼミが一緒で、授業が終わるなり僕は隣へ行ってドカッと腰を下ろした。

「よくもまあ、うさぎにあんなことが言えたもんだな」前置きもなしに言った。「オンナとして見たことない、だって？　どうしてもっと、別の言い方を考えてやれなかったんだよ」

「あいつから聞いたのか？」

「………………」

「ま、ほかにいるわけはないよな」

直樹は長いため息をついた。

「だけどなあ、涯。あれは俺にしてみれば、とっさに考えついた精一杯の思いやりだったんだぜ。本当の理由はもちろんそんなんじゃないさ。でも、もし本音を言ったら、うさぎの奴、もう歌なんかやめるとか言いだすんじゃないかと思って……」

「本音って何だよ」

直樹は頰をぴくっと引きつらせ、僕から目をそむけたまま言った。

「この先も音楽をやってこうとする限り、俺はあいつとはつき合えないってことさ」

「……どうして、だぁ？」

直樹は目を上げて、初めて僕と視線を合わせた。

「きまってるじゃないか。こないだも言ったろ？　お前だって男なんだから、わかるはずだぜ。あいつだけデビューだの何だのって……あんな一件があった後で、俺がうさぎとつき合えると思うか？　え？　自分より才能のある女となんか、うまくやってけると思うのかよ」

「ああ、思うね」

「冗談じゃない」直樹は言い捨てた。「そばにいる女をいつも妬《ねた》んでなきゃならないなんて、そんなみじめなことがあるかよ。俺はごめんだね。ああ、ああ、まったくご立派だよな、お前は。人をうらやむとか妬むなんてことは、これっぱかりもないわけだ」

「ばか言え！」

思わずどなった言葉が、誰もいなくなった教室にうつろに響く。

僕は、声と気持ちを苦労して抑えた。

「そんなわけねえだろ？　けど、いくらうらやましがったって俺にないものはもう、どうしようもないじゃないか。そのかわり、こっちも相手にないものを持つようにすりゃいい。そうすれば、たとえ向こうが何か俺より上のものを持ってたとしたって必要以上に気にしないですむ。そう考えるしかないだろ？」

「へーえ。お偉いことで」直樹は暗く笑った。「だけどそれがもし、お前が欲しくてたまらなかったものだったとしたら？　それでもあきらめがつくか？　相手がどんどん先へ進んで、置いてかれるように思えても、お前は卑屈にならないでいられるのかよ」

ぐっと詰まった。卑屈、と聞いたとたんにマリコさんに言われた言葉を思い出してしまったのだ。

直樹は、口もとをゆがめながらそんな僕を眺め、最後に低い声で言った。

「うさぎには、悪いと思ってるさ。だけど、いくらお前にえらそうな説教されたって、だめなもんはだめなんだよ」

10

実際、他人に説教できるような資格なんか、僕にはないのだった。うさぎの才能への嫉妬こそは何とか克服したものの、マリコさんの前では（というか、彼女のダンナの影の前では）やっぱり気持ちが卑《いや》しくなってしまうのをどうにもできないでいるのだから。

マリコさんからは、もう三週間も何の連絡もない。キャンパスですれ違う時ぐらいはかすかに微笑んでくれたけれど、それは他の学生に向ける笑顔と何の違いもないように思えた。出勤の途中に僕の部屋に寄ることもなかったし、電話一本かかってこない。よっぽど、そばでダンナに監視されているのだろうか。それとも、久しぶりに水入らずで過ごすうちに夫への愛情を思い出して、僕とのことはなかったことにしたいとでも思っているのだろうか。

いつの日か彼女を失う時のことを考え始めると、僕はうまく眠れなかった。ひと晩じゅう寝返りをくりかえしながら、今度マリコさんとすれ違ったら一言でもいいから言葉を交わそう、彼女の気持ちを確かめてみようと何度も思った。

でも、いざ真っ昼間に外で顔を合わせると、やっぱり何も言えなくなってしまうのだった。まるで、おびえた野良犬みたいだ。本当はなでてほしいくせに、心を許したとたんにひどい目にあわされるのが怖くて、暗がりから上目づかいに様子をうかがってしまう。今の僕には、自分の心の奥の一番柔らかい部分をそうやって守るよりほかに方法が思い浮かばないのだ。

誰かを愛した瞬間を境に、多かれ少なかれ人は変わる。それまでより強くなれる奴もいれば、弱くなってしまう奴もいる。

もちろん僕は、強くなりたかった。マリコさんのすべてを引き受けられるくらい強くなってみせたかった。

それなのに実際の僕ときたら、好きになればなるほど、彼女を失いたくないあまりにひたすら防御に回ってしまっている。そのことがわかるだけに、僕はなおさら自分が歯がゆくて、腹立たしくて、もうどうしようもないほどいらいらしていた。

マリコさんと逢えないくらいで何も手につかないでいる僕にくらべると、うさぎは実にしっかりしたものだった。直樹にフラレた次の週にも、彼女はちゃんと『ヴァルハラ』での練習に顔を出した。二度目の土曜ライブが二日後に迫っているとはいえ、たいした精神力だと思う。

ぎこちなかったのはむしろ直樹のほうで、アレンジをどうするかでうさぎが何かたずねた時など、

「えっ。あっごめん、何?」

などと慌てて訊き返したりしていた。まるでフラレたのは直樹のほうかと思うくらいだ。同じ男としては見ていて情けないものがあったけれど、気持ちはわからないでもなかった。奴はたぶん、うしろめたいのだ。うさぎの真剣な想いを、ただ純粋に、好きかどうか、あるいはこれから好きになれるかどうかというレベルで受け止められなかった自分がやりきれないのだ。そうでなければ、女の扱いに慣れた直樹のことだ、自分がフッてしまったうさぎを居心地悪くさせないように、もっと気をつかってやったに違いないのだから。

ライブ用の十二曲を一気に流してからひと息入れたとき、うさぎはぶらぶらとだるそうにこっちへやって来た。古着っぽい小さめのセーターに、あいかわらず男物のジーンズをベルトで絞ってはいた彼女は、ベースをかかえた僕がチューニング・メーターをにらみながら音を合わせ直しているそばまで来ると、壁にもたれてぼそりと言った。

「こないだは、どうもね」

もしやそれは礼というやつですか、とツッコミを入れたくなるほど愛想のない言い方だったが、まあ、例によって照れかくしなんだろう。

ステージの奥では、セイジが休みもしないでドラムを叩いている。どうにも納得いかないらしい。

僕は、中指で一弦を響かせ、左手で銀色のペグをわずかにひねって音を高くした。顔もあげないまま、

「少しは浮上したかよ」

そう訊いてやると、ガンガン響くドラムの音のすきまを縫うように、頭の上でうさぎがフッと笑う気配がした。

「もうカンペキよぅ」

答えたハスキーヴォイスはいつもどおりのタフな印象だったが、(うそをつけ)と僕は思った。こういうケナゲな気丈さが、彼女をよけいにつらくさせていなければいいのだが。

「お前さ……」こんどは二弦目を合わせながら言ってみた。「あさって、オザキ氏に何て返事するつもりなんだ?」

聞こえてるくせに、うさぎは答えようとしない。

「もうそろそろ、待ってもらうのも限界なんじゃないか?　あの人もそう甘かないと思うぜ」

横で壁のこすれる音がして、見るとうさぎがズルズルすとんと床にすわりこむところだった。貼ってあるポスターやビラの端がめくれるのなんかおかまいなしだ。

彼女はそのままぼんやりと視線を投げて、あたりに汗をふり飛ばしながらドラムを叩きまくっているセイジの姿を眺めやった。

　奴がさっきからくり返し練習しているのは、聴かせどころの派手なフィル・インだ。これは通常「オカズ」とも呼ばれるもので、イントロから歌に入る前とかサビの前なんかに、まあ言ってみればカッコづけのための短いフレーズを差しはさむことをいう。ドラムスの最大の務めはもちろんリズムをキープすることだが、いいオカズがうまくツボにはまった時には、曲全体がびしっと引きしまってあか抜けるという効果がある。根っから派手好きのセイジは、いつもこうして、その部分の練習にいちばん力を入れるのだった。

　うさぎはやがて目をそらすと、

「はーあ……」と、風船から空気が抜けるみたいなため息をついた。「あたしもせめてあの子ぐらい目立ちたがり屋な性格なら、もうちょっと楽だったんだろうになあ……」

　僕はふき出してしまった。

「ばぁか。あんなのがそうそういてたまるかよ。ああいうのは、『目立ちたがり屋』とはいわねえの」

「じゃ何ていうの」

「自己顕示欲の権化《ごんげ》」

「…………」

「ま、お前の言う意味もわかるけどな。確かにあいつなら、自分だけデビューする羽目になったってこれっぽっちも悩みゃしないだろうさ。言われたその場でさっさとチャンスをものにしてるよ」

うさぎは膝を抱えこんだ。それはちょうど、僕の部屋の前に座っていたあの夜みたいな姿だった。

僕が脇へおろしてスタンドに立てかけたベースのボディを、人差し指でそっとなぞりながら、彼女はつぶやいた。

「やっぱり、あたしには向いてないんじゃないかなあ」

「まだそんなこと言ってんのかよ」僕はあきれて首をふった。「お前、人前で歌うの好きなんじゃなかったのか?」

「好きだよ」と、うさぎは言った。「でも極論を言っちゃえば、べつに人前じゃなくたっていいんだよ。聴いてくれる人がいなけりゃ、海とか空に向かって一人で歌ってるんでも全然かまわないわけ。あたしが今こうやってライブハウスで歌ってるのは、ただ、あたしの歌を聴いてる時のお客さんたちの顔を見るのが面白いっていうか、反応がかえってくるのが楽しいっていうか……それだけなんだよね」

「それだけじゃ何でいけないんだ?」

「いけないとは言ってないけど」

歯がゆかった。向こうでは直樹がセイジのそばへ寄って何かアドバイスしてやっているというのに、僕のほうはうさぎに対して、何ひとつ気のきいた言葉を思いつけないでいる。

「涯はまた、甘ったれてるとかって怒るかもしれないけどさ」相変わらずぼそぼそと、彼女は続けた。「このごろ、思うんだよね。あたしってもしかして、メジャーになりたいっていう願望がほかのみんなより弱いんじゃないかなって。もちろん興味はあるよ。自分の力を確かめてみたい気持ちもあるんだけど、だからって一人だけデビューするくらいなら、好きにバンドやって好きに歌ってるほうが楽しいもん。……つまりね、あたしにはたぶん、プロになるために必要な何か大事なものが欠けてるんじゃないかと思うんだ。それこそ、さっき涯が言ってた『自己顕示欲』とか、そういうものがさ」

けれど……。

例のオザキ氏に言わせれば、うさぎに欠けているものはそれだけではないようだった。彼は僕なんかの数百倍はシビアな考え方をする人間で、考えたことを口にするのに何の遠慮もためらいもなかった。その週末の土曜ライブが終わった後で、彼はうさぎをバッサリ斬《き》ったのだ。

「てんで伝わってこねえんだよ」

狭い事務室で、オザキ氏は黒いトレンチコートを脱ぎもしないまま、あざけるような、挑発するような調子で言った。

「中性的魅力だか何だか知らんが、きゃあきゃあきゃあきゃあタカラヅカのノリで女の客に騒がれて、それでイイ気になってるならお笑いぐさだぞ。言っとくが、お前のは中性的なんてご立派なもんじゃない、ただの中途半端だ」

　事務室には他に、兄貴と僕とセイジがいた。直樹だけは用事があるとか言ってさっさと先に帰ってしまったのだ。この前みたいに自分だけ何も批評されないなんて屈辱をわざわざ味わいたくはなかったのだろうが、オザキ氏はもはや、セイジや僕にさえ何も言う気はなさそうだった。それどころか意図的にこっちを無視しているのがありありだった。

　頭にはくるが、無理ないとも思う。うさぎの決心を邪魔している大きな原因の一つは僕らの存在なのだ。彼女をソロでデビューさせたいオザキ氏からすれば、僕らは目の上のたんこぶなんだろうし、『Distance』としての今夜のライブなんか何の意味もないどころか時間の無駄というものだろう。

「おい、こら。聞いてるのか？」

　オザキ氏はうさぎのすぐ前まで近寄って、なおも続けた。

「せっかくの声も豚に真珠だな。くだらんコンプレックスに凝《こ》り固まって、フラフラ迷いながらふぬけた歌を歌いくさって。それでよく客から金を取る気になれるもんだ。たいした神経だよ」

隣に立つセイジも僕と同じく自分を抑えるのにかなり苦労してるってことは、握りしめたこぶしを見れば見当がついたが、僕らがそんなふうに横から口を出せないでいるのは、当のうさぎ自身がさっきから一言もしゃべろうとしないせいだった。

オザキ氏が舌打ちした。

「ったく。お前、どれだけ人を待たせれば気がすむんだ？　何様のつもりだ？」

何とか言い返してやればいいのに、うさぎはやっぱり黙ったままでいる。

オザキ氏は、火のついていない煙草をはさんだ指をうさぎの鼻先につきつけた。

「自分の身のふり方ひとつ、ろくに決められずにグズグズしやがって。お前の背骨は豆腐でできてんのか。いったいいつまでガキのままでいるつもりだ、ああ？　何とか言ってみろ、おい、声が出なくなったか」

言いながら、何度もうさぎの額をこづく。うさぎは眉をひそめながら頑固なまでに口を結び、一、二歩さがって壁ぎわに背中を寄せた。

そのときだった。額をこづいていたオザキ氏の手が、すっと下へさがった。

とたんに、悲鳴をあげたうさぎが後ろへ飛びのき、背中と頭をバンッと壁に打ちつけて低くうめいた。

「何だ。声は出るじゃないか」

軽い脳震とうを起こしたらしく、うさぎはぼうっとなっている。その胸の片方を、グッとわしづかみにしたまま、オザキの野郎は言った。

「思ったよりはあるもんだな。声や姿はまるで少年でも、胸だけは女か。何から何まで中途半端ってわけだ。どうだ、いっそ胸にサラシでも巻いて、徹底的に美少年路線で売りだしたほうが当たるんじゃないか？　今よりよほどファンがつくかもしれんぞ」

「て……めえ！」

金縛《かなしば》りの解けたセイジがいきりたってつかみかかろうとする、その肩をつかんで引き戻したのは兄貴で、

「な、なんで止めんだよ兄貴ッ！」

たまらずに飛び出そうとした僕が二人を押しのけかけたとき、ガッと鈍い音が響いた。見ると、オザキの野郎が後ろへよろけて、今までうさぎの胸をつかんでいた手であごを押さえていた。

アッパーをくらわせたのは、なんと、うさぎ本人だった。

「い……いいかげんに……」体を折るようにして、うさぎは声をふりしぼった。「いいかげんにしてよ！　あんたなんかに、そこまで言われる筋合いないッ！」

見ひらいた目の中にありったけの怒りをたぎらせて、オザキをにらみつける。

「わかったような口きかないでよ、何にも知らないくせに！　人の痛いとこほじくり返して傷つけて、決めつけて……ガキだのグズだの、知ったことじゃないよ！　あたしがいつ

あんたに、デビューさせてくれって頼んだ？　え？　誰が頼んだ？　そっちが勝手に言い出して、勝手に待ってるんじゃない。急いでるのだって、みんなそっちの都合じゃない。待つのがいやならとっとと他の人さがせばいいでしょ？　あたしのことは、あたしが決めたい時に自分で決める、あんたの好きになんかさせない。あんたなんか……人を見下してえらそうに指図するやつの言うことなんか、誰が信用してやるもんかッ！」

うさぎの小さな体からは、まるで青白いガスの炎みたいな怒りが発散されていて、けれどそれは事務室の中の空気を燃やすどころか凍りつかせ、さしものオザキも気圧《けお》されたようにつっ立っていた。うさぎの気性の激しさなど、もう知り過ぎるほど知っているはずの僕も……いや、生まれてこのかたずっと一緒に暮らしてきたセイジでさえ、言葉を失っていた。

五人分の沈黙が続く中で、最初に動いたのは兄貴だった。

押さえつけたままでいたセイジの肩をはなして、兄貴は後ろのソファにどさりと腰を下ろした。スプリングの飛び出たソファがギシギシ鳴る。

「なあ、オザキよ」と、兄貴はしゃがれ声で言った。「何でもゴリ押しすりゃいいってもんでもないぜ。熱心になればなるほど、強引で意地が悪くなる。昔っからお前はそうだったな。今までにそれで何人のアーティストとケンカ別れした？」

オザキの野郎は黙りこんでいる。

兄貴は自分の胸ポケットから煙草を取り出して火をつけると、ちらりとうさぎのほうを見やって続けた。

「一寸の虫にも五分《ごぶ》の魂……ガキにはガキなりのプライドってもんがあらぁな。お前や俺から見れば答のはっきりしてることでも、こいつらときたら、自分でそこまでたどりつかない限り納得しないのさ。俺らがせっかく親切心で近道を教えてやっても信じやしねえ、わざわざまわり道して危ないほうへ行きやがる」

「………」

オザキの奴は、しばらくのあいだ目をぎらぎらさせてうさぎをにらんでいた。ずいぶん長い時間に思えた。うさぎは、切れそうなくらいに目尻をつり上げて、一歩も引かずににらみかえしている。

とうとう、オザキが先に視線をそらせた。奴はまずセイジをにらみ、僕をにらみ、そして最後にもう一度うさぎをにらみつけた。

それから、やれやれと首を振って、ケッという感じで言った。

「ったく。かわいげのないガキどもだ」

「かわいげのあるガキなんぞいるものか」

兄貴は笑い、オザキはうっかりつられたように苦笑いをもらした。

「まったくだ」

なんてオヤジくさい会話なんだ、と僕はいらいらした。兄貴も年とったもんだ。

オザキはコートの襟を直すと、結局火をつけずじまいだった煙草を手の中でへし折って
ごみ箱へ放りこんだ。僕とセイジの間をさっさとすり抜け、ドアをガチャリと開けてから、
ふとふり返る。

「おう。この次は、歌でもそのくらいのパンチをきかせてみせろや」

僕がそっと横目でうさぎを見やると、彼女は唇をかんで、あいかわらず奴をにらみつけていた。

オザキは、ふふんと笑った。

「ま、とりあえずは次のライブも聴かせてもらうとするさ。どれだけ待とうが、どうせこっちの勝手だそうだしな」

たてつけの悪いドアを、後ろ手にバタンと閉める。足音が遠ざかって、地上への階段をのぼっていく。

セイジが、ヘッと肩をすくめた。

「なーにハードボイルド気取ってんだ、あいつ。ばっかみてえ」

その言葉は何となく宙に浮き、セイジは気まずそうに再び黙った。

と、ふいに、うさぎが壁から離れて足早に部屋を横切った。

「あ、おい」

止める僕の声も聞かずに、ドアを開けて飛び出す。

一瞬オザキの後を追いかけるつもりかと思ってギョッとしたが、そうではなかった。誰もいない暗い客席を斜めにつっきると、彼女は、バーカウンターの横手にある小さなトイレのドアへ突進して中に飛び込んだのだった。

事務室の中をふり返って、セイジと兄貴を順ぐりに見やった。セイジは弱りきったような苦い顔をしている。兄貴のほうはソファに座ったまま両足を投げだし、天井を向いてぷかぷか煙草をふかしているだけだ。

僕は、事務室を出て、後ろ手にドアを閉めた。

客席のパイプ椅子にけつまずきながら横切って、トイレのそばまで寄ってみる前から、うさぎがションベンを我慢してたわけじゃないことは予想がついていた。彼女が我慢していたのはもっと別のものだった。

ドアを開けてもらうまでには、ずいぶんたくさんノックをくり返さなければならなかった。

「出てこいよ、うさぎ」と、僕はしんぼうづよく言った。「俺だって便所使いてぇんだからよ」

ようやく出てきた時には、うさぎの目は文字通り真っ赤で、僕は内心の狼狽《ろうばい》を隠そうとまたしても憎まれ口をきいてしまった。

「どれ。俺にも胸さわらしてみな。『思ったよりある』かどうか確かめてやる」

うさぎが赤い目でじろりとにらみ上げてくるのと、パンチが飛んで来るのとは同時で、僕は危ないところでそれを受け止めた。

「ったく、冗談のわかんねえやつだな」じぃんと痺《しび》れたてのひらをふりながら、僕は言った。「お前はあしたのジョーか？　さっきのオザキの時だってお前、仮にも女なんだから、何もげんこつでアッパー食らわすことはねえだろう。せめて平手でひっぱたくくらいにしとけよなぁ」

うさぎの充血した目の中に、またしても涙がはりつめて盛りあがってきた。

「……もう、たくさん！」

こらえきれずにぼろぼろっと涙をこぼしながら、うさぎは嗚咽《おえつ》をおさえようと口に手をあて、もう一方の手で僕の胸を——やっぱりげんこつで——たたいた。

「男なんか、みんな無責任なことばっか言ってさ！　オトコ女だの、少年路線で行けだの、仮にも女だの、女と思えないのって……いつだって人の気にしてることばっか。どうせあたしは女らしくないよ。いまだに男の子と間違えられたりするよ。だけど、しょうがないじゃない、何て言われたってあたしはあたしにしかなれやしないんだから。なのにどうしてみんな、ありのままのあたしを認めてくれないの？　あたしは……あたしは、あたしでしかないのにぃ！」

うさぎはううーっとうなって、両方のこぶしを自分の目にきつくおしあてた。その下から信じられないくらいの量の涙が押し出され、ぼたぼたと落ちて、黒いゴム敷きの床にしみをつくる。長いあいだ鬱積《うっせき》していたものが、ダムが決壊するかのように一気にあふれ出たという感じだった。

しばらく迷った末に、僕は手を伸ばしてうさぎの頭に触れてみた。

うさぎは、よけようとはしなかった。

思いきって頭をつかんで引き寄せ、横抱きにかかえこむ。うさぎは少しだけあらがったものの、すぐにあきらめたようにされるがままになり、最後には自分から僕の横腹にごつんと頭突きをくらわせてきた。

なんとか慰めてやりたいと思うのは本心からだったし、ほんとうはもっと優しく胸にでも抱き寄せてやればいいのかもしれないけれど、うさぎと僕の間柄で今さらそんなことをするには、いまの僕よりもう少し繊細になるか鈍感になるかしなければ無理そうだった。何だかんだ言っててもやっぱりこういうときになると、こいつが女であることを妙に意識してしまうのだ。

うさぎはそのまんまの姿勢で泣きながら、時折「うーっく」とか「ぐーふ」とか、まるで小さい熊みたいなうなり声を発している。ズルズルズルと洟《はな》をすすったりもする。

うさぎの頭を脇に抱えたままで、僕はトイレのドアにもたれかかった。泣いている女を慰めるというのは男にとってけっこうおいしい役割のはずなのだが、それにしては場所も相手も、色気のないことこの上ない。

事務室のドアは閉まったままだ。兄貴とセイジは何か話しているのだろうか。それとも、こっちに気をつかっているのだろうか。

ステージへ向かって並んだ椅子の列を見るともなく見ながら、

「そうだよな」僕は、脇に抱えたうさぎの頭に向かって言った。「お前はお前だよな」

うさぎがまた「うーっ」とうなって泣きじゃくる。

「……でもさ」酷なのを承知で、僕はゆっくりと続けた。「それって、一歩間違えば、怠慢ってことにならないか？『ありのままのあたし』ってお前言うけど、ありのままであればそれでいいのか？ ほんとにお前、心の底から、今のままの自分に満足してるのかよ。なりたい自分になろうとか、今よりもっとすごいものになってやろうとは思わないのかよ」

できるだけ穏やかに言ってきかせるうち、うさぎの泣き声はいつのまにか少し小さくなっていた。

「そりゃ確かに、俺ら男が勝手なのも、デリカシーないのも認めるけどさ。もしもお前自身が今の状態に満足してない部分があるんなら、自分から変わろうとしない限り、何も変わらないぜ」

人のことならいくらでも言える。

変わろうとしなければ変われない――そんなことはよくよくわかっていても、変えようと思っただけで変えられるなら、誰も苦労なんかしない。うさぎに言ったことは、本当は彼女だけの問題ではなく、僕自身の悩みでもあるのだった。

11

マリコさんと逢えない一か月ほどの間に、僕は二回も、彼女とダンナが一緒にいるところを見てしまった。

一度目は、文学部の図書室へ行った時だった。隣の研究室からマリコさんと三十半ばの男とが話しながら出てきて、彼女がこっちに気がつくなりハッと表情をこわばらせたせいで、僕はそいつがダンナなんじゃないかと思ったのだ。

確信したのは二度目だった。大学近くの駅前ロータリーを渡ろうとしていた時、見覚えのある辛子《からし》色のコートを着たマリコさんが向かい側の歩道を歩いていくのを見つけ、追いかけて後ろから声をかけようとしたとたん、彼女が右手をあげた。それに対して向こうから手をあげ返したのがあの男だった。

とたんに、僕はいてもたってもいられなくなった。かまわず追いかけていってマリコさんの腕を引き戻したいという思いが鋭い痛みとなって足の先へ走り抜け、その衝動をどうにかして抑えるために、すぐそばのマックに飛び込まなければならなかった。「いらっしゃいませどーぞ」という店員の声にも顔を上げずに、歯を食いしばって三十数えてからやっと、止めていた息を吐く。ようやく外へ出たときには、二人の姿はなかった。

ニューヨークの病院で働く医者、というイメージから、バリバリのヤリ手タイプを想像していたのだが、実際に見るそいつは僕の予想とはかけ離れていた。中肉中背。醜男《ぶおとこ》ではないがハンサムでもない。温和で人はよさそうだが、一度や二度会ったくらいではなかなか顔を覚えてもらえないタイプの、凡庸を絵に描いたような男だった。マリコさんはいったいあいつのどこが良くて結婚したんだと、首をかしげてしまったくらいだ。

でも、いったい何なのだろう、その男の持っている雰囲気の中にある何かに、僕はむちゃくちゃ不安にさせられた。落ち着き、とも違う。貫禄《かんろく》、でもない。あえて言葉にするなら、自信、みたいなもの――名実ともに妻であるマリコさんとの間に積み上げてきた、さまざまな一分一秒……その歴史への、確信とでも言うべきものだった。どんなにあがいても、僕が手に入れようのないものだった。

だから、やっとのことでそいつがニューヨークへ帰って、マリコさんが一か月と一週間ぶりに僕の部屋に来てくれた時には、死ぬほどホッとした。ドアを開けて彼女が立っているのを見るなり、安堵《あんど》のあまりへなへなとしゃがみこみそうになったほどだ。マリコさんはそんな僕を見て苦笑していたけれど、彼女がもう二度と来ないんじゃないかという思いはそれほどまでに強く僕をおびえさせていたのだった。

でも、すべてが元通りというわけではなかった。

マリコさんは前よりも物思いに沈む時間が長くなり、少し無口になった。僕の話をうわの空で聞いていることも多くなった。

僕が何度も問いただすと、彼女はようやくそのわけを言った。

「大学の仕事を辞めて、ニューヨークに来てくれって……向こうで一緒に暮らそうって、彼に言われたの」

息が止まるかと思った。

思わず、マリコさんの肩をつかんだ。

「な……んだよそれ！」

「だって、ダンナって研修中なんだろ？　ずっと向こうにいるわけじゃないんだろ？　マリコさん、前にそう言ってたじゃないか。だから一緒に行かないでこっちに残ったんだ、って」

マリコさんは、細い眉を苦しげに寄せて目をそらせた。

二人きりでベッドで抱き合っているというのに、そして僕らの間をさえぎっているものはお互いの薄い皮膚だけでしかないはずなのに、僕には彼女がとても遠いところにいるような気がした。

「……少し、事情が変わったの」と、マリコさんは言った。「研修医といっても、インターンとかそういうのとは違うのよ。あのひとの場合はすでに医師免許を持っていて、その上で、向こうの移植技術を自分のものにするために行ってるわけじゃない？」

じゃない？ と言われたって、僕がそんなことを知るわけがない。マリコさんが僕の前で夫の話をしたことなんか、今までにほんの数回、それもごく最初のころ、僕とこんなふうになる前に少しばかり話してくれたことがあるだけなのだから。

「彼、あっちの病院で、上の人にずいぶん買われてるらしくて……」感情をなるべく外に表すまいとするような淡々とした話し方で、彼女は続けた。「約束の研修期間が終わっても、向こうに残って欲しいって言われたんですって。即戦力になると思われたんでしょうね。このごろは大切なパーティなんかに出ることも多くなってきて、できればそういう場所へは夫人同伴で出席するのが望ましいっていうし……。それと、いま彼が借りているアパートはかなり手狭でね、病院側はもし私も向こうへ行って夫婦で腰を落ち着けるなら、もっといいところを用意すると言ってくれてるそうなの」

そこまで聞かされる頃には、僕は本気で頭痛薬が欲しくなっていた。頭と胃のそれぞれに鋭いカギ爪がくいこんで、ギリギリ締めつけられているかのようだった。

「まさか……行くつもりでいるの?」

マリコさんは、暗い顔をして黙ってしまった。

「大学の仕事、好きだって言ってたじゃないか。そんな簡単に辞められるのかよ」

彼女はちらりと視線を上げて僕を見た。それから長いため息をついたかと思うと、

「あのね」と、小さい声で言った。「二年前にね。どうして私が彼についていかなかったかっていうと……ううん、そもそもどうして彼が向こうへ行くことを決めたかっていうと、わりとヘヴィな理由があったの」

「理由?」

「そう。ひとことで言っちゃうと、すごく下らなく聞こえると思うけど」

「言ってみてよ」

マリコさんはきゅっと口を結んだ。それから、早口に言った。「夫の浮気」

「…………」

「ね、下らないでしょう? でも、そんなどこにでもあるようなつまらない話でも、いざ自分の身にふりかかるとなかなかそうは思えないものなのよ」

僕の腕枕に頭をのせたマリコさんは、僕の鎖骨の間あたりを見るともなく見ながら言っ

た。

「最初に彼が浮気したのは、結婚してから二年目だったわ。相手は病院の看護婦。あの時は私、腹が立つよりも何よりも、もうどこかへ消えてなくなってしまいたいくらい傷ついた。彼のことが信じられなくて、夜勤の時でさえ、ほんとは女のところにいるんじゃないかと疑わずにいられなかったわ。何がつらいって、そのことが一番つらかった。一緒に暮らしている人の言葉を何ひとつ信じられないなんて、そんな寂しいことってないわよ。それでほとんど別居寸前までいったんだけど、彼、頼むからもう一度チャンスをくれって言うの。あの女とはもう別れた、もう二度と裏切るようなまねはしないからってね。私、何とかそれを信じようとしたわ。信じたかったのよ。だって、彼のことほんとに好きだったし、彼を失ったら他に信じられる人なんていなかったし、だいいち行くところだってなかったんだもの」

マリコさんは目を閉じた。

「あのひと、すごく優しくしてくれたわ。そりゃあしばらくはぎくしゃくしたけど、そのうちにだんだん気持ちもほぐれていって、一緒にテレビなんか観て笑えるようになって……だから、一年ほどたって赤ちゃんができたとわかった時にはとっても嬉しかった」

ドクンと心臓が跳ねた。

……赤ちゃん。

彼女に妊娠の経験があるなんて、思ってもみなかった。「母親」になったことがあるなんて。おなかの中に、別の命を宿したことがあるなんて。体のすみずみまで知っているつもりでいたマリコさんが、スルリと知らない生き物にすりかわってしまったように思えた。

「妊娠したってことをどんなふうに彼に告げようかと思ったら、わくわくしたわ。彼が子どもを欲しがっていたことは知ってたから、これでやっと本当にうまくいくって思った。なのに……」

ぱちっとマリコさんが目を開けたとたん、僕は自分が透明人間になったような気がした。彼女の目は、僕の胸を通りこしてどこか遠くの一点を見つめていた。

「別れたなんて、嘘だったのよ」と、マリコさんは言った。「ゴシップ好きの同僚の奥さんから、さも気の毒ぶってそのことを教えられた時、私がどれほど恥ずかしい思いをしたか、あなたにわかる?」

僕は黙っていた。

「私、彼のあとをつけてみた。病院からその女のアパートまでね。そんなことしてる自分が醜いとか、みじめだとか、考える余裕もなかったわよ。電柱のかげに隠れて、部屋の窓を見上げて……寒くて寒くて、ずっと足ぶみしながら指に息を吹きかけてた。最初のつもりでは彼が出てくるまで待ってるはずだったのに、途中でもうどうしても我慢できなくなっちゃって……寒さも、情けなさもね。それでとうとう、部屋の中に踏み込んだの」

ゴクリ、と僕ののどが鳴るのが聞こえたらしく、マリコさんは目を上げてクスッと笑った。

「あなたも気をつけなさいよ、涯くん。浮気する時はうんと慎重にやらないと、そういう時の女は何するかわかんないんだから」

「……へーえ」何とか平静なふりをしながら、僕は言った。「浮気なんか絶対するな、って言うかと思ったのに」

「それを言う資格は、私にはないもの」

と、マリコさんは微笑んだ。

「どうやって家まで帰ったか、全然おぼえてないの、ほんとに。たぶんタクシーでもつかまえて帰ったんでしょうね。でも、その晩さんざん彼をののしったことだけはおぼえてるわ。彼はずっと黙りこくってた。当然よね。あれほどチャンスをくれなんて拝んでたくせに、当の女房に現場を押さえられたんじゃ何も言えるわけがないわよ。でも、あんまり彼が弁解一つしないで黙ってるものだから私、よけいに頭に血がのぼってね。とうとう何かの拍子に、彼の頬を思いきり打ってしまったの。そうしたら、それが耳を直撃して……」

あんなに簡単に破れるものだとは知らなかった、とマリコさんは言った。聴診器を使ったり、じかに心音を聴いたりしなければならない医者にとって耳がどれほど大事かは彼女も知っていたから、もちろんわざとしたのではなかった。しかし夫は、鼓膜が破れたと自覚した瞬間に逆上し、彼女の頬を平手で打ち返したのだそうだ。彼女の体は部屋のすみへふっとんで、椅子か何かを派手に倒しながら自分も転び、そのせいでなのか、それとも精神的なショックのせいでなのか、とうとうおなかの子供をもちこたえることができなかった。

よく、夜明けに目を覚ましてはぼんやり窓の外を見ていたマリコさんの姿を、僕は思いだした。薄紫色に沈んだ空気の中で、彼女が一人ぼっちで何を考えていたのだろうと思うと、やりきれなかった。

一度も腕に抱くことのなかった赤ん坊。

まさか、僕とこういう関係になったのまで、夫の裏切りに対する腹いせだったなんてことは……。

「ねえ」

「えっ？」

「煙草、吸ってもいいかしら？」

「あ……ああ、うん。もちろん」

マリコさんは寝返りを打ち、サイドテーブルに手をのばして、例のネスカフェの空き瓶からマッチをひとつつまみ出した。腹ばいになって煙草の先に火をつけ、マッチをふって消すと、ため息と一緒にふわっと煙を吐き出す。

「あの時からだわ。私が煙草なんか吸うようになったのは」ひとりごとのように、彼女は言った。「それきり私たち、ガタガタになっちゃったの。ほら、よく言うじゃない、夫婦なんて紙切れ一枚の間柄だって。あれって本当よね。相手を信頼できなくなったら、そこでおしまい。もろいものよ」

マリコさんは、疲れたようにゆっくりと首をふった。

「おまけに彼のほうは、その看護婦との関係が勤め先にまでバレちゃって。言っとくけど、私がもらしたわけじゃないわよ。誰かが足を引っ張るために告げ口したのかもしれないし、ひょっとすると相手の彼女が自分でばらしたのかもしれないし……。まあそんなこんなで彼も病院に居づらくなって、それで、かねがね話のあったニューヨーク行きを実行に移すことにしたわけ。行く前の日に、私が離婚届に判を押して渡したら、彼ってばまたしても、それだけは待ってくれって言ったわ。あのプライドの高い人がなんと土下座までしてみせたのよ。二度までも裏切っておきながらよくも言えるものだと思ったけど、いずれにしても数年間は離ればなれになるんだし、とにかくお互いに冷静になるための時間をおこうって説得されて……。私が一人で日本に残ったのは、そういうわけだったの」

そう言って、マリコさんはかなりの努力をして少しだけ微笑んだ。というか、微笑もうとしてみせた。

「彼が行ってしまってから私が最初にしたこと、何だと思う?」

「……わかんないよ。何?」

「家の鍵を全部取り替えること。いきなり黙って帰ってきて、勝手に家に入られたりしたらいやだもの」

「だけど、ダンナが帰国したのは今回が初めてじゃないんだろ?」

「ええ。二回目よ。今年の初めにもこっちで学会があったから」

ふっと、駅前のロータリーで見た二人の姿が脳裏に浮かんだ。夫の姿を見つけて手をあげたときのマリコさんの仕草は、確かに少しよそよそしかったような気もするけれど、だからといって、いまだにあいつを心底憎んでいるというふうでもなかった。

「優しすぎるんだよ、マリコさんは」いらだちを押し殺しながら、僕は言った。「何だかんだ言ったって結局、前の時もダンナを家へ上げてやったわけだろ」

「前の時、も?」マリコさんは、けげんそうな顔を僕に向けた。「も、ってどういうこと? 彼、この前だってずっとホテル住まいだったわよ。もちろん今回も」

「えっ? だって一か月以上だぜ?」

「そんなの、私の知ったことじゃないもの」

一瞬のうちにいくつもの考えが入り乱れ、僕の中であらゆる感情が竜巻をおこした。いったいホテル代にいくらかかったんだろうという考えも、いくらかかろうと医者なら屁《へ》でもないかという思いも、あいつめザマミロと思ったのも全部同時で、さらにはマリコさんに万歳三唱したくなり、そして彼女にはこの僕がいるんだという喜びで息が詰まりそうになり……。

けれどその喜びは、あることに思い至ったとたん、嘘のように消えうせてしまった。それこそマッチを吹き消したような感じだった。あとには、あの鼻をつく硝煙《しようえん》の臭いのかわりに、もっといやな味のする苦さが残った。

一か月以上もの間、ダンナがそばにいて見張ってたんじゃないのなら、どうしてマリコさんはただの一度も僕に連絡をくれなかったのだろう？　一人でいる時間はたっぷりあったはずなのに……彼女に逢いたくて逢いたくて僕が悶々《もんもん》としていたのを知らないはずはないのに、どうして電話一本かけてきてくれなかったのだろう？　誰もいない家に一人で帰ってから次の朝が来るまで、いったい何を考えていたのだろう？

うつぶせになったマリコさんの背中が冷たくひえていることに気づいて、僕はずり落ちかけていたふとんを引っぱり上げた。

「まだ、答を聞いてないよ」

「え？」

「向こうへ、行くつもりでいるのかどうか」

「…………」

マリコさんは、サイドテーブルの灰皿の上でとてもていねいに煙草をもみ消し、もう一度もぞもぞと僕のふところにもぐりこんできた。

「行くわけ、ないじゃない」

僕の胸の真ん中のくぼみに、冷たくなった鼻の先をおしつけて、彼女は、聞き取れないほど小さな声で言った。

「あのひとの三度目の正直なんかに賭けるほど、私、お人好しじゃないわ」


けれど、それからというもの、僕の頭からは何をしていても彼女のダンナの影が離れなくなってしまった。バンドの練習中も、バイト中も、ふと気がつくとあの二人のことを考えてしまっている自分に気づく。

行かない、とマリコさんは言ったが、夫からの思ってもみなかった申し出に動揺していることは、見ていればわかった。

「赦《ゆる》せないのよ、彼を」と、あれから後でマリコさんは言った。「憎いとか、恨んでるとか、そういう攻撃的な感情はもうないの。ただ、何ていうか……赦せないの。そういう人と、こんなふうに抱き合うなんてできっこないでしょう？ 私、抱き合うこともできない男と暮らすつもりはないわ」

じゃあ俺と暮らそうよ、と、舌の先まで出かかった。俺とはこうやって抱き合えるんだから、一緒に暮らすことだってできるはずだろ？　と。けれど、言えなかった。マリコさんはただの一言も、涯くんと別れるのが寂しいから行かない、と言ってはくれなかった。彼女の言葉は、裏返せば、もし相手を赦せていたら行っただろうというのと同じ意味だった。

ダンナを受け入れこそしていないが、とことん憎んでしまえるわけではない。愛情が冷めきったわけでもない。だからこそマリコさんはああして、ダンナがこっちへ帰ってくるたびに会ったりするのだし、僕との関係を隠し通そうとするのだ。「赦せない」という感情は、攻撃的でないぶん、「未練」とよく似たものであるように僕には思えた。

そうして、それ以来、彼女はダンナとのことについて話そうとしなくなった。一度僕が訊こうとしたら、珍しくきつい調子で言われてしまった。

「私は行かないと言ったはずよ」

しつこい人は嫌いよ、と言われたような気がして、僕はそれきり何も訊けないでいる。でも、僕がほんとうに訊きたかったのは、マリコさんのダンナがどうのということよりもまず、島村マリコにとって大和田涯とはいったいどういう存在なのかということなのだった。

たとえいつかマリコさんが正式に離婚したとしても、それだけで有頂天になれるほど僕はおめでたくない。離婚届は彼女をフリーにはしてくれるかもしれないが、僕のものにしてくれるわけじゃない。

いまさらのように、僕は焦りを感じていた。どうしても僕でなければと思ってくれる瞬間が、マリコさんにはあるのだろうか。そんなふうに彼女の心にくいこむことが、僕にできているだろうか。それだけのことを今までにちゃんとやってきただろうか、と。

12

それでも、一月が終わりに近づくと、さすがにそうぼんやりしてばかりもいられなくなった。学年末の試験が始まったのだ。

バンドの練習は仕方なく週一に減らした。セイジの通う音大の指揮科でもほぼ同時に試験が行われていて、奴はドラムスを叩く合間に試験の課題曲の楽譜をのぞきこみ、忙しくスティックを振りまわしながら、作曲した誰だかを呪《のろ》い散らしていた。

直樹もうさぎも悲惨だった。直樹のほうはふだん女と遊んでばかりいるツケをこの時とばかりにまとめて支払わされていたし、法学部のうさぎはうさぎで、文学部とは比較にならないほどの難解な試験や山ほどのレポートを前にしてかなりナーバスになっていた。

そして、僕はといえば——毎朝十時ごろまでに大変な努力のもとにベッドを抜け出して、大学の図書館へ通っていた。雑誌やCDだらけの自分の部屋にいたのでは集中できないからだが、早く行かないと、同じような事情をかかえた奴らで席が全部うまってしまうのだ。

ラブホのバイトは休むわけにいかなかったけれど、土屋さんの好意でしばらくフロント専門の係をやらせてもらえることになった。小さくあいた窓口の前に客が立った時だけ部屋のキーや釣り銭を渡していれば、あとの時間はノートをひろげられるというのはありがたい話だった。

いっぽうにマリコさんという超特大の悩みをかかえながら、その同じ頭で試験勉強に集中するのは至難のわざだった。でも、

「留年なんかしてみなさい。二度と逢わないから」

当のマリコさんからそんなふうに言われたのでは、我が身にムチ打って頑張るしかなかった。セリフの前半は教師モードで、後半は恋人モードに切り替えて口にするあたり、彼女も意地が悪い。

半年前の、夏休み直前の試験の時は、マリコさんはしょっちゅう僕の部屋へ（わざわざ彼女の受け持ち科目の試験前夜にまで）ようすを見にやって来たものだ。そのくせ協力してくれる気はないらしく、僕がうんうん言って苦しんでいるテーブルの向かい側で、涼しい顔をしてミステリーなんか読んでいた。試験問題そのものとは言わないまでもせめてヤマのかけ方ぐらいチョロッとヒントをくれたってよさそうなものなのに、そういうことにかけてはどこまでもお堅いのだ。

でも今回彼女は、「邪魔しちゃいけないから」と言って、試験期間を通してたったの一

回しか来てくれなかった。本来ならそのほうが集中できそうなものだが、僕の意識はともすれば目の前にひろげた辞書やノートから離れて、彼女のもとへと飛んでいってしまうのだった。まるで幽体離脱みたいに。

怒濤《どとう》の一週間目があっというまに過ぎ、切れかかった神経をなだめすかしながらの二週間目が過ぎていく。その週が終わるころには図書館もずいぶんすいて、冬枯れのキャンパスは人影がまばらになっていた。

全学部共通の一般教養科目の試験はすでに終わり、あとはどの学科も専門科目の試験がいくつかと、レポートなどの提出が残っているだけだった。学生部の掲示板の前や学食などをうろついているとたまに知った顔に会うことはあったが、がらんとした校舎には、イベントが終わった後の仮設ステージのようなうつろな空気が漂っていた。

僕がうさぎと五日ぶりに会ったのは、ちょうど最後の試験が終わったその日だった。

僕のほうが先に、うさぎに気づいた。水色のダッフルを着た彼女は、掲示板の前で立ち止まり、ほかの二、三人の学生に混ざって、ガラスの中に貼り出されている通知のたぐいを読んでいた。

後ろから近づいて行って、うさぎ、と声をかけようとした時だ。

左隣にいた男がスッと彼女の背中に手を触れながら何か言ってうながし、二人はくるりとこちらを向いた。うさぎはあやうく僕の胸に鼻をぶつけそうになって慌ててよけ、「ごめんなさい」と目を上げて、あっと言った。

「よう」

言いながら僕は、隣を見やった。

うさぎの背中に手をあてている男は、なんと、あの吉田だった。どうしてこいつが、なれなれしく彼女にさわったりしてるんだ？

僕の無言の視線から何かを感じとったのか、奴はスッと手を引っこめて居心地悪そうに目をそらすと、うさぎに、

「じゃ俺、先行ってるわ」

と耳打ちして学食のほうへ立ち去った。

後ろ姿をたっぷり五秒間見送ってから、僕はうさぎに目を戻した。掲示板の前にいるのはもう僕らだけだった。

「試験、終わった？」

僕が訊くと、

「まだ。あと一コ」

と、うさぎは答えた。顔にはさっきの吉田と同じような気まずさが浮かんでいる。それを見たら思わず、言わないでおこうとしたはずのことが口をついて出てしまった。

「お前さあ。いいかげんに直樹にこだわるのはよせよ。ちょっとばかし似てるからって、

あの野郎は直樹じゃないんだぜ」

「わかってるよ。そんなんじゃないってば」

「じゃあなんでよりによって、また吉田なんだよ」

「それは……まあ、いろいろあんのよ。吉田くんも、あの時は悪かったって謝ってくれたし……なんか今、つき合ってるコとうまくいってないとかで相談受けてるだけだよ」

「ばか。相談に乗ってくれってのは、下心のある男の使う常套《じょうとう》手段だろうが」

「深読みのし過ぎだってば」

うつむいて爪をいじっているうさぎの右手を何げなく見おろしたとき、僕は心臓のはしっこをキュッとつねられたような気がした。彼女の右手の中指には、僕の買ってやったあの指輪がはまっていた。気にいっているらしく、いつもしているのは知っていたけれど、こんな時にそれを目にすると何だか反則技を使われたみたいな気分になる。

「なあ、うさぎ」

指輪の金色のウサギから視線をもぎはなして、僕は言った。

「お前、吉田の野郎にはさんざんイヤな思いさせられたんじゃなかったのかよ。俺んとこ来て泣いてたのはどこのどいつだっけ?」

うさぎの耳のふちが赤くなった。

「あの時は泣いてなんかいないじゃん。適当なこと言わないでよ。それに吉田くんとは、別につき合ってるとかそんなんじゃないんだってば」

「ならもっとビシッとはねつけろよ。そうやってヘラヘラ甘い顔見せるからつけこまれるんだよ。今のお前、隙だらけだぜ？　もっとしゃんとしろよ」

うさぎは、じいっと僕をにらみあげた。

「なんであんたにそこまで言われなきゃいけないわけ？」

「俺だって言いたかないけど、しょうがないだろ？」僕は声を荒らげた。「危なっかしくて見てられないんだから」

言いながら、どうしてこんなにイライラするんだろうと思った。つい数週間前にオザキ氏からボロクソ言われて泣きじゃくっていたうさぎを……僕の脇腹に押しつけてきたおでこの固くて柔らかな感触や、あの時かかえこんだ頭の小ささなんかを思い出すと、どういうわけか、なおさらイラついた。

うさぎは唇をかんで黙っている。

なんとか気持ちのたかぶりを抑えこんで、僕は言った。

「やめよう。悪かったよ。たしかに俺が口を出すことじゃないのかもな。だけど、」

「涯なんか……」

「え？」

「涯なんか、大ッ嫌い」

ドキリとさせる口調でうさぎは言った。

「あたしの感情なんかおかまいなしで、表面ばっかり見て勝手なこと言ってさ。それじゃオザキさんとおんなじじゃん。だいたい、あたしのすることに口出しできるほど、涯はご立派な恋愛してるわけ？」

僕をにらみつけたのを最後に、くるりと背を向けると、うさぎは吉田の待っている学食とはぜんぜん別の方角へ去っていった。

ごついブーツの荒々しい足音が、いつまでも耳に残った。

けっこう、ショックだった。うさぎのためを思って言ったつもりがかえって彼女を傷つけてしまったことはもちろん、投げ返された言葉の一つ一つがぐさぐさと心臓に刺さっていた。

うさぎの言うとおりなのかもしれなかった。ひとの事情に首をつっこめるほど、僕はまっとうな恋愛をしていない。それは、マリコさんに夫がいるからという意味ではなくて、僕があまりにも自分に嘘をつきすぎているという意味でだった。

試験がすべて終わった解放感なんか、どこかへ消えてなくなってしまった。いつもだったら新宿へでも出てＨＭＶや紀伊國屋を隅から隅まで歩き回るところだが、今日に限っては何をする気にもなれないまま、ただなんとなく電車に乗り、なんとなく吉祥寺で降り、だらだらと商店街を歩いた。

行きかう人の群れを眺めているうちに、ふと頭に浮かんだのは、なぜか、小学生の頃うさぎやセイジと作った「秘密基地」のことだった。資材置き場の片隅に、ベニヤ板や段ボールなどで囲いを立てて作っただけのしろものだったが、それは僕らだけが知っている秘密の隠れ家《が》だった。あの基地が今あったなら、と思ってみる。子供の時代に返って、そこへ逃げ込んでひざを抱えたい気分だった。

いつのまにか僕の足は、『ヴァルハラ』へ向かっていた。地下への階段を下りると、ドアはまだ閉まっていた。開店の準備には少し早い。

兄貴から預かっている合鍵を使って中に入った。穴ぐらのようなこの店は当然のことながら昼でも暗く、人けのない客席やステージはうすら寒かったが、気持ちはいくらかゆるんだ。ここには、あの「秘密基地」と近い雰囲気がある。

しばらく手持ちぶさたにうろうろしているうち、ステージのそでで、誰かの置いていったアコギを見つけた。スポットライトを一つだけつけて黒いアンプの上に腰を下ろし、薄暗い客席を見渡す。なんだかアンプラグドのソロコンサートみたいだと思ったら、誰も見ていないのにくすぐったくなる。

僕らのレパートリーの中から短いフレーズをいくつか弾いてみて、それから一番新しい曲のコードを押さえてみる。自分では歌わなくとも、弾いているだけでうさぎの歌うバラードが耳もとでよみがえった。

Keep on keepin' on……。うさぎはどこでそんな表現を覚えたのだろう。「続けることを続けろ」「続けつづけろ」。直訳すればそうなるだろうか。

まえにたしか日本のロック歌手が、「あきらめないこと。それがロックだ」なんてキザなことを言ってたが、つまりその二つは同じ意味なんだろうなと僕は思った。ロックだろうが、人生だろうが、夢だろうが同じことで、何かを後ろ向きにあきらめてしまったが最後、僕らはそこで終わりなのかもしれない。

突然、ぱっとステージのライトが全部ついて、僕は飛びあがった。見ると客席の後ろに、ひょろりと背の高い人影が立っていた。

「……んだよ、おどかすなよ兄貴」

「不法侵入しといて何を言うか」

「合鍵貸してくれたのそっちじゃん」

「ふん」兄貴は肩をすくめて近付いてきた。「お前一人か？　何してるんだ」

「べつに。気が向いて寄ってみただけ」

ギターをかかえたまま座っている僕を、兄貴はステージの足もとからじっと見上げてきた。

「……なに」

兄貴は黙っている。

「なんだよ」

「いっぺん、ちゃんと訊こうと思ってたんだが……」と、兄貴はようやく言った。「いい機会だから、いま訊いとこうか」

「だから、なにを」

「お前ら四人、この先どうするつもりだ？」

「ど……どうするって？」

「このまま四人でやっていく気でいるのか？　と言うより、やっていけるのか？」

答に詰まってしまった。ズバリそれは、僕がなるべく考えるのを先に延ばそうとしてきた問題だったからだ。

「うさぎが今すぐソロ・デビューするしないは置くとしてもだ。この先どう頑張ろうと、お前ら四人がいつかそろってバンド・デビューできるとは、俺には思えない」

ぐうの音《ね》も出ないことをさらりと言って、兄貴は煙草を出してくわえ、立ったまま少しうつむいて百円ライターで火をつけた。

「まあ、世の中何が起こるかわからんし、俺がスタジオで弾いてた頃から、売れるとも思わなかったバンドが時流に乗って売れていったことは何度かあったさ。だが、少なくともそいつらには、テクニックか、でなけりゃ妙なエネルギーかのどっちかがあった。……お前もわかってるだろうが、直樹のギターに今以上を望むのは無理だ。酷なようだがな、オザキの目は正しいよ。俺が言うのは、だから、それがわかっていてもお前らが四人でやれるのか、ということだ。メンバーをチェンジするぐらいならプロになんぞならんでもいい、そう思えるほど団結が固いのかどうかってことなんだ」

兄貴の吐く煙が、足もとからゆっくりとのぼってきて目にしみる。

僕は、ギターのネックを左手でそっとなでた。そして、思いきって言った。

「それって、直樹だけか？」

「………」

「正直に言ってくれよ。いくら頑張っても今以上になれないのは、直樹だけなのか？」

兄貴は、深いため息をついた。

「本当に、正直に言っていいんだな」

心臓がびくっとはねた。僕はつばをのみ込んで、うなずいた。

「じゃあ言ってやろう」兄貴はすぐそこのパイプ椅子にどっかり腰を下ろした。「俺は、お前のベースには山ほど不満がある。だが、それをここで言う気はない。なぜならそれは、テクニックの問題ではないからだ。お前の性格なり、根性なりの問題だからだ。オザキがお前のベースを、手堅いだけでつまらんだの、今のままではいくらでも替えがきくだのと言ったのは、そのまま、お前という人間がつまらんってことだ。お前自身が、今のままじゃ替えのきく人間でしかないってことだ。わかるか」

耳の中がごうごう鳴っていた。年が離れているせいか、兄貴は昔から僕にきついことを言ったためしがほとんどなかった。こんなにこたえるものだとは知らなかった。骨にギシギシくる。

「なあ、涯」兄貴は低い声で続けた。「お前、音楽ってものがどこに存在するのか考えてみたことがあるか？」

「……なに、それ」

「俺がどんなにアンプやスピーカーを分解しようが、その中に音楽はない。当たり前だな。じゃあ、薄っぺらいCD盤の中にあるのがそうか？　いいや、違う、ありゃただのデジタル信号だ。なら、ミュージシャンの中に存在するのか？　それとも聴衆の側か？」

言いながら、兄貴はゆっくりと首を横にふった。

「そうじゃない。ロックにしろクラシックにしろ、あるいは他の何であれ、音楽ってやつは、音楽が生む感動ってやつは、おそらく、聴かせる側と聴く側とのどこか真ん中へんにポッと生じるものなんだ。奇跡みたいにな。……俺は、お前が誰と関わってどういう生活をしてようが知ったこっちゃないが、腰砕けのへなちょこなベースを聴かされると、むしょうに腹が立つ。せっかく奇跡が起ころうとしている瞬間を、お前が片っ端からぶちこわしてるような気がするからだ。……おい、涯。いったいお前このところ、何を迷ったり、怖がったりしてるんだ？　ほんの一、二年前のお前は、そんなじゃなかったはずだ。もっとがむしゃらで、貪欲《どんよく》だった。セイジのやつほどむき出しじゃないが、そのぶん冷静な野心があった。俺はな、正直言えば、いつお前に俺のベースをやろうかと楽しみにしてたんだぞ。お前にしてみりゃ大きなお世話かもしれないが」

「……そんなこと……ないけど」

かろうじてつぶやく以外、何も言えなかった。

「悩むのは大いにけっこうだがな」と、兄貴は言った。「逃げるなよ？　逃げれば追ってくるだけだ。お前のベースがつまらんとすれば、いろんなことから逃げてばかりいて腰がすわってないせいだ。……と、俺は思うがな」

よっこらせと椅子から立ち上がって、兄貴は最後にこう言った。

「自分に居留守を使ってどうする気だ」

その言葉は、またしても僕の心臓にぶっすり突き刺さった。うさぎに投げつけられた「大嫌い」が刺さっている場所の、ちょうど隣あたりに。

けれど——少なくとも僕がいちばん居留守を使いたい悩みに関してだけは、すでに僕がどんなにあがこうと、どうこうできる問題ではないのだった。

決断を下すのはマリコさんであって、僕はただ、彼女が出す答を受け入れるしかない。あるいは、彼女が答を出さないように祈るしかないのだ。

マリコさんが結婚していると知った上でそうなったことを、後悔はしていない。もう一度あの場におかれたら、僕はやっぱり同じことをしただろう。同じようにマリコさんの寝顔にみとれ、同じように彼女からのキスに茫然とし、そして同じように激しく彼女を抱いて、その日の授業を全部休んでしまっただろう。

今になって無茶を言い出すつもりはなかった。どれほどマリコさんを想っていようと、彼女の生活を一方的に乱す権利は僕にはない。

僕の中には、兄貴が指摘したような冷静さがやはり今でもあって、そんなものさえ無ければもっと馬鹿なまねができたかもしれないのにと思うと、かえって自分がもどかしかった。

13

長い春休みが始まるとともに、生活のほうもほとんど元のペースに戻って、僕は週に四日間はHOTEL『アダム&イヴ』でバイトに励んでいた。

でも、バンドのほうはそううまくいかなかった。試験後初めての土曜ライブの出来が目も当てられないほどさんざんで、

「お前ら、しばらく出るな」

と兄貴から言いわたされてしまったのだ。いわば、謹慎処分みたいなものだ。

出来の悪かった原因が、練習不足なんていう単純な問題ではないだけに、事態は深刻だった。意外だったのは、こういう結果になっても自分がそれほど意外だと思わなかったことだ。

オザキ氏の出現をきっかけに、僕ら四人の結びつきはもうずいぶん前から、どこか奥深いところで壊れてしまっていた。うさぎという蝶番《ちょうつがい》がまずゆるんだことで、大黒柱であ

ったはずの直樹が傾き、僕やセイジの力ではそれを支えきれず、とうとう建物全体が奇妙にゆがんでしまったのだ。

「謹慎処分」が解けるのを待つより早く、『Distance』というバンドの存続自体がもう時間の問題かもしれないと僕は思い始めていたし、直樹も、セイジも、たぶんうさぎも、そう思っているだろう。それなのに誰も口に出して言わないのは、言いだしっぺの責任を負う勇気がないだけの話かもしれない。あるいは口に出した瞬間にそれが現実になってしまうのが怖いのかもしれない。

いずれにしても、そんなわだかまりをかかえながらどんなに練習したところで、ライブがうまくいくはずがない。リーダーである直樹が、しばらく練習もやめにして頭を冷やそうと言ったとき不満そうな顔をしたのは、自分の音楽に対してつき当たる壁を感じていないセイジだけだった。


その週末に起こったあれこれを思い起こすと、今でも僕は不思議な思いにかられる。居留守を使われ続けることにじれた借金の取り立て屋が、とうとうドアをけやぶって踏み込んできたみたいな感じだった。

ことが起こる時というのは、そういうものなのだろうか。まるで僕の知らないところで相談して示し合わせたみたいに、あらゆる出来事が息継ぐひまもなくいちどきに起こり、僕を押し流したのだ。

発端は、バイトが早番の土曜日だった。

そろそろ八時になろうとするところで、僕はフロントの奥にある畳の小部屋で従業員用のうわっぱりを脱ぎながら、交代要員の松本さんとしゃべっていた。客室の様子に異状はないかとか、へんな客は来なかったかとか、今夜はばかにあったかいとか……まあいつもどおりの引き継ぎだ。

脱いだうわっぱりをハンガーにつるして鴨居《かもい》にかけた時、自動ドアがウィィーンと開いてピンポーン……という電子音がした。

あぐらをかいていた松本さんが、座卓の天板に手をついて立ち上がり、座敷から下りてフロントの小窓のところまで行った。客が写真から好きな部屋を選んでナンバーを言うと、そのキーを渡すしくみになっている。

以前、「どうせならボタン一つでキーが出てくる機械を入れれば楽なのに」と土屋さんに言ったら、「そんな余裕があったら、まず外を直すよ」と肩をすくめていた。しばらく前から、例の紫のネオンが『アダム&イ　』になってしまっていて、のんびり屋の土屋さんは几帳面な松本さんから、早くあの貧乏くさい看板を直してくれと再三言われているらしい。

キーを渡して戻ってきた松本さんが腰をおろし、

「いいよ、大和田くん。もう上がっても」

と言ってくれたところで、またしてもピンポーンが鳴った。

「やれやれ、大繁盛だねえ」

再び立ち上がろうとする松本さんに、

「あ、いいっすよ、俺出ます」

僕は座敷を下りて靴をはくと、かかとを踏んだまま小窓に近づいた。男の着ている緑のトレーナーの腹のあたりが、窓枠に四角く切り取られて見える。女のほうは一歩下がって、男の後ろに隠れるようにして立っていた。

「301」

と、ぶっきらぼうに男が言った。

腰をかがめてカウンターの下のフックに吊してあるキーを取ろうとした拍子に、後ろの女の手が見えた。肩からかけた黒いバッグの肩ひもを握りしめていて、よほど力が入っているらしく、手の甲には筋が立ち、指のふしが白くなっている。

ずいぶん緊張してるんだな、と僕は思った。こういうところへ来るのは初めてなのかもしれない。あるいは、こういうこと自体が初めてなのかも……。

３０１のキーを取って小窓から差し出しながら、僕はちらりと目を上げた。女が中指にはめている銀の指輪が、その一瞬、はっきりと見えた。

息が、止まった。

時間まで止まった気がした。

僕が凝視する中、キーを受け取ろうと男の手が伸びてくる。

そのとたん、僕は何を考える間もなくとっさにそのキーをひったくり、わっと叫んだ男を小窓から覗《のぞ》きあげた。視線が合った。目を見ひらいて、男が口走った。

「なんで……？」

「て……！」

てめえッ！　と叫ぶつもりが声にならなかった。つかんだキーをほうりだしてドアに突進し、フロントの外へ転がり出る。

驚きに顔をゆがめた男が、よろめくように後ずさりして言った。

「な、なんでお前がここに……⁉」

男の……吉田の後ろには、顔面を蒼白《そうはく》にしたうさぎがつっ立って僕を凝視していた。

何を考えるひまもないまま手が伸びて、気がつくと吉田の胸ぐらをひっつかんでいた。つかんだ胸ぐらを無言のままガクガク揺さぶりながら首を絞めあげると、野郎は必死になって僕の腕をふりはらい、その勢いでうさぎにぶつかって、柱のそばの観葉植物に頭からっこんだ。うさぎのバッグが落ちて、中身が床にばらける。

慌てふためいてふりむいた吉田が、のどへ手をやってぜえぜえ息をつきながらうめいた。

「やめてくれよ！　お……俺が何をしたっていうんだ」

何か言い返してやろうとしたのに、こみあげてくる感情の渦に巻かれて声も言葉も出てこない。僕は体の震えをとめようと力を入れたが、そうするとよけいにぶるぶる震えて止まらなかった。

うさぎは吉田の向こうの壁ぎわで、氷柱《つらら》を飲み込んだみたいに棒立ちになったままだ。

「無理やり連れ込んだわけじゃないぜ」と、言い訳がましく吉田は言った。「彼女だってその気でついて来たんだ。なのにこんな……」

「出てけ」

と、僕はさえぎった。かすれ声にしかならなくて、もう一度はっきりと言い直した。

「出ていけ」

「だから、なんでお前にそんなこと言われなきゃ」

「ぶッ殺されてえか」

「………」

襟ぐりがのびて片方の肩から脱げかかっていたトレーナーをひっぱって直すと、吉田は首をねじってうさぎをふり返った。

うさぎは、さっと目を伏せ、青白い顔をそむけた。

吉田は黙って首を戻した。僕をにらみつけながらわざとらしく、胸についた葉っぱのくず や埃《ほこり》を払い、ぷいと歩き出して横をすりぬけていく。

背中でウィィーン、と自動ドアが開き、外の空気が流れこんできた。再びウィィーンと閉まる。薄暗いロビーが急にシン、とした。

僕は何度か深呼吸して息を整え、まるでカーペットにのりで貼りついたようになってい た足を苦労して引きはがして、いつのまにか奥から出てきていた松本さんの顔を見ないよ うにしながらフロントの中へ入った。壁につるしてあった自分のジャケットを手に取る。 それから、松本さんに頭を下げた。

「どうも、すいませんでした、お騒がせしちゃって」

松本さんは、中へ入ってきて事務椅子に腰をおろした。

「よけいなお世話かもしれないけどね」

「……はい?」

静かに僕を見上げて、松本さんは言った。

「ちゃんと、わけをきいてやんなさいよ」

「…………」

もう一度頭を下げて、ドアから出た。

うさぎは、さっきと同じ格好でぼんやり立って、両腕をだらんとぶらさげていた。足もとにはまだ、手帳だの定期入れだのが散らばったままだ。

出ていった僕に気づくなり、彼女はハッと我に返ってこっちを見つめた。何ともいえない顔をしていた。怒りたいのか泣きたいのか、叫び出したいのかわからない、それらすべての一歩手前のようなその表情は、僕をたまらなく居心地悪くさせた。

「……拾えよ、早く」

それだけ言い捨てて外へ出た。三十メートルほど歩いたところで、後ろからうさぎが飛び出してきたのがわかった。

駅に着くまで、うさぎはずっとそうやって僕のあとをついてきた。ホームでも数メートル離れて立ち、家は反対方向のくせに同じ電車に乗りこみ、僕が座っても自分だけドアの横で立ち、そのくせ僕が降りると一緒に降りてついてこようとする。

改札を出る手前で、とうとう僕はふり向いた。

「いいかげんにしろよ。どこまでついてくる気だよ」

うさぎは唇をかんで僕をにらんでいる。

「帰れ」

「………………」

「か・え・れ。ついてくんな」

背中を向け、改札を出て歩道橋を渡り出したら、やっぱり同じ足音が追いかけてきた。

勝手にしろ、と僕は思った。本当は言ってやりたいことが山ほどある。それでも、怒鳴りつけたいのをどうにかこらえているのは松本さんの一言のせいだった。

〈わけをきいてやんなさいよ〉

しかし、うさぎが吉田なんかと連れだってホテルへ入ろうとすることに、いったいどんな「わけ」があるというのだ。急に気分が悪くなって休もうとしたとでも？　カラオケだけ歌って出てくるつもりだったとでも？　ついこの前まであんなに直樹に惚れていたくせに、そんなに簡単に忘れてしまえるものなのか？

吉田ははっきり、〈彼女だってその気でついて来た〉と言った。うさぎは横でそれを聞いていながら否定しなかった。

いらだちとか怒りとか呼ぶにはあまりにも激しすぎる感情がこみあげてきて、

（ちきしょう！）

僕は、足元に転がっていた空き缶を力いっぱい蹴り飛ばした。

（何考えてやがんだ……初めてのくせに！）

ふいに、ぐいっと後ろからひじを引っ張られた。

驚いてふり返ると同時に我に返って、初めて自分がどこにいるかに気づいた。

そこはもう僕のアパートのすぐそばで、道の片側には大学のグラウンドを囲む高い塀がそそり立っている。いつのまにこんなに歩いてきたのだろう。

「何だよ」と僕は言った。「放せよ」

うさぎは僕のひじをつかんだまま、街灯の薄明かりの中であいかわらず僕をにらんでいる。人けのない細い道の真ん中で、僕らはしばらくの間まるで猫のケンカみたいににらみ合っていた。

やがて、うさぎが言った。

「どうして、何にも訊いてくれないの？」

ずいぶん低い声だった。

「ねえ、どうしてよ？」

「訊くって、何をだよ」

「……きまってるじゃない。あたしが、なんであんなことしようとしたかだよ」

一秒で、グラッと血が沸いた。

「お前……ふざけるなよ？」

思わず、ひじにかけられていた彼女の手をもぎ取ってわしづかみにし、

（わけをきいてやんなさいよ）

ひねりあげて体ごと塀ぎわへ押しつけた。

「なんであんなことしたかだって？　それを俺に訊けっていうのか？」

「い……痛いよ、涯！」

かまわず両肩をつかみ、レンガ塀にぐいぐい押しつけてやる。

「好きでもない男とホテルにしけこむのに、いちいち理由があるとは知らなかったぜ。それで俺に何て言ってほしいんだよ。『へーえそんな理由があったんですか、それじゃ無理もありませんね』ってか？　え？　理由さえありゃ何してもいいってか？」

「またそういう言い方す……」

「言い方の問題じゃないって、前にも言ったろ！」と僕は怒鳴った。「いいよ、訊いてやるよ。なんであんなことしたんだって？　俺にわかるようにちゃんと説明してみろよ」

「痛いったら、もう！」

うさぎは力いっぱい腕をふりほどくと、僕より大声で叫んだ。

「あんたが初めに言ったんじゃない！」

「俺が何を言ったよ！」

「ベッドの中の先生がいちばん色っぽいなんて馬鹿みたいにノロケちゃって、あたしが女っぽくないのはそっちの経験が少ないからだって、さんざんひどいこと言ってくれたじゃない。忘れたなんて言わせないからね！」

僕は、ぽかんと口をあけてしまった。

「まさか……お前、それで吉田と寝てみることにしたって言うんじゃないだろうな」

「ばかにしないでよ」と、うさぎは瞳をたぎらせて言った。「そんな……そんな簡単なもんじゃないよ。そんなふうに言うとまるであたしがすごいバカみたいじゃん」

「じゃあどうして！」

「あたしにだってわかんないよ！」うさぎは、ブーツのかかとでアスファルトをダンッ！と蹴って、僕の胸を両手でつきとばした。「わかんないよ……。けど、友だちはみんな彼氏ができたとたんにどんどんきれいになってってて、クラスでもゼミでもあたし一人ガキみたいでさ……直樹は直樹で、あたしのこと女だと思って見たことないとか、処女とは寝ないとか勝手なことばっかり言うし。どうして、見ただけであたしに経験がないなんてわかるわけ？　もし経験済みだったら、それも見ただけでわかるわけ？　それであたしが処女じゃなかったら、それならつき合ってくれたわけ？　ねえ、教えてよ。いったいどこをどうしたら、直樹もあんたも、あたしのこと女だって認めてくれるようになるわけ？」

「うさぎ……」

「あたし……あたし、こんな自分が大っ嫌い」

半泣きになりながら、うさぎは身をもむようにして言った。

「みじめったらしくて、うじうじしてて、ほんとに……ほんとに嫌い。何にも自信ないし、素直にもなれないし、人からどう見られてるか気になってしょうがなくて、一人でいてもイライラするばっかりで……すごく寂しくて、誰でもいいから優しくされたくて、だから、吉田くんを好きなわけでもないのに、誘われた時はそんなにいやじゃなかったよ。吉田くんだってたぶんあたしじゃなくてもよかったんだろうけど、それでもいいやって思った。処女なんて邪魔っけなもの、早くなくしちゃいたいって……どうせいつかなくすものなら、それが今だってかまわないって……そう思って、ちゃんと覚悟してついてったはずなのに、一歩ホテルに入ったら、とたんにめちゃくちゃ後悔しちゃってさ。……ねえ、涯。あんた、なんであんなとこにいたの？」

「仕事」

「まじめに答えてよ」

「俺はいつだってまじめだよ。もう半年以上あそこでバイトやってる。潔癖性のお前に言ったら、不潔だとか何とかうるせえと思って黙ってただけだよ」

「……ふん。潔癖性、ね」うさぎはクッと唇の端をゆがめて笑った。「潔癖性が聞いてあきれちゃうよ。いちばん汚いのは、あたしじゃんね。あんなかっこ悪いとこ、よりによって一番見られたくない奴に見られちゃうし」

「え？」

うさぎはそれには答えず、

「もう、いやんなっちゃったよ」と、とてもつらそうにつぶやいた。「何もかもいや。こんな自分、やめちゃいたい。どっかへ捨てちゃいたいよ」

「ばか、何言ってんだ」

「だって……」みるみる盛りあがってくる涙に、街灯が反射する。「だって……」

うさぎがまばたきすると、たまるだけたまっていた涙がぼろぼろぼろっと頰にこぼれ落ちた。

「また。すぐそうやって泣く」

うさぎは僕から顔をそむけ、手首の内側で涙をぐいっとぬぐった。まるで腕白坊主みたいな仕草だ。

頭の上のほうで、街灯のまわりを飛びまわっている虫の羽音が小さい悲鳴みたいに聞こえる。

僕は、ため息をついた。

「……わかったよ。俺も、まあ……ちょっと言い過ぎた」

そっぽを向いているうさぎの口もとが、へんな角度にゆがんだ。まばたきするたびに、新しい涙があふれ出す。洟《はな》をすすり上げる音には、こう言ってはまた怒られるかもしれないが、正直、色気も素っ気もない。

「ああもう、勘弁してくれよ」困ってしまって、僕は言った。「俺、誰に泣かれるのが弱いって、お前に泣かれんのが一番弱いんだからさ」

「……なんでよ」

ぐじゃぐじゃの顔のまま、うさぎは横目で僕をにらんでくり返した。「なんで、一番弱いのよ」

「ああ？」

「知るかよ、そんなこと。なんとなく、小さい子泣かせてるみたいな気分になるからじゃないか？」

「どうせあたしはガキだもん」

ったく、細かいところにからむ奴だ。

「だから、そうじゃなくて……わかんねえかな、もう」

僕は肩をすくめ、もう一度ため息をついて言った。

「要するに、お前があういうとこ一番見られたくなかった相手が俺だっていうのと、おんなじようなもんだよ」

14

雨の音が聞こえる。

まださめきらない僕の夢を、やわらかな春の雨がさらさらと濡らしていく。

(いや……雨じゃないんだよな)

これはたしか──何だったろう、雨でないことはわかる。でも、何の音だったろう。前にもこれと同じようなことがあった気がして、目をつぶったままぼんやり考えるのだが、相変わらず頭のギアがうまく入らない。

(……ああ……なんだそうか)

やっとわかってからもしばらくは、シャワーを浴びているのがマリコさんであるかのように錯覚していた。

重たいまぶたを押し上げる。まつげがばりばりする。見上げた天井がいつもよりやけに遠いのと、身動きしたとたんに体の節々がミシッときしんだのとでようやく、自分がベッドではなく畳の上で寝ていることに気づいた。そういえばゆうべは、うさぎが泊まったんだった。

ったく、勝手に風呂場まで使いやがって、と苦笑する。体からも気持ちからも、よけいなものを洗い落としてさっぱりしたかったのはわかるが、それにしてもいい度胸だ。いくら昔一緒に風呂に入った仲とはいえ、曲がりなりにも男の部屋でさっさと裸になれるなんて。

あの後うさぎは、結局またこの部屋に泊まった。というより、僕自身、あそこで彼女を放り出すにしのびなかったのだ。

彼女は何よりも、自分がしようとしたことそのものにめちゃくちゃ傷ついていて、とてもじゃないけれど一人にできるような状態じゃなかった。あれでもせいいっぱい強がってみせたつもりなのだろうが、僕から見れば、一人にしたとたん、最初に優しい言葉をかけてくれた人にまたフラフラついて行ってしまいそうなほど頼りなくみえた。

腹がへると人間ろくなことは考えないから、ともかく夜食を仕入れようとコンビニに寄った。おにぎりをいくつか選び、ココアが飲みたいというさぎのためにハーシーの缶と牛乳をかごに入れ、わざと彼女を横目でうかがいながらコンドームの箱におずおず手をのばすふりをして殴られてやり、最後にレジのカウンターの横であつあつのおでんを買った。

白いポリ袋を一つずつぶらさげて、アパートまで並んで歩いた。まるでこれから初めて一緒に泊まろうとしているカップルみたいで、なんだか妙に照れくさかった。

キッチンのテーブルで向かい合っておでんとおにぎりを食べる間、僕らはもう、さっきまでのことについては何も話さなかった。うさぎは食欲がないようだったけれど、落ち込んでいるところを僕に見せたくない意地からか、黙々と大根やちくわを口に運んでいた。そのあと、鍋で牛乳を沸かしてココアを作ってやった。うさぎは、シナモンがないのが悪いとか言ってむくれていたが(そんなもの一人暮らしの男の部屋にあったら奇跡だ)、それでも、さっきまでよりは少し顔色が良くなったように見えたのでホッとした。

マグカップを持つ彼女の右手の中指にあの銀の指輪がはまっているのを、僕はちらちらと盗み見ていた。これから先、それを目にするたびに今夜のことを思い出すのかと思うと、はずして捨てちまえと言いたかったけれど、理由を訊かれて答えようとすれば、ホテルでの一件をまた蒸し返すことになってしまう。なかなか決心がつかないでいるうちに、ふと、指輪のすぐきわの部分が赤紫色に内出血していることに気づいた。

「どうしたんだよ、その指」

「え？　……ああ、これ？」

うさぎは、痛そうに顔をしかめながら指輪をはずした。

「あんたがさっき、思いきりつかんだからでしょうが」

ちょうど指輪のあとの形に赤いすじがついて、少し切れたのか、血までにじんでいる。

僕はうしろの戸棚の引き出しを開け、バンドエイドの箱と塗り薬のチューブを取り出した。

「手、かせよほら」

「いいよ」

「よくねえよ。バイキンでも入ったらコトだぞ」

うさぎは、おとなしく右手をこっちにさし出した。

傷の部分に少しだけ薬をつけて、できる限りそっとバンドエイドを巻いてやりながら、

「なあ」

うさぎは、ん？　と顔を上げた。

「お前の指ってさ。妙にバンソコが似合うのな」

「またガキ扱いする」

「ばか、ほめてんだって」と僕は言った。「普通なら、ガキどころか、もっと所帯じみて貧乏くさくなりそうなもんだぜ。それが似合ってみえるってのは、指がこんだけ細くてきれいだからだよ」

「……今夜はばかにサービスいいじゃん」

僕は肩をすくめ、マグカップの横に置かれていた指輪を手に取って、浮き彫りになっている金色のウサギを眺めた。

「なあ」

「なによ、もう」

「今から、葬式やんないか？」

「はあ？」うさぎはきょとんとした。「誰の？」

「……今日までの、古いうさぎの、さ」

そうして僕らは、もう真夜中近いというのに外に出て、アパートのすぐ裏にある小さな公園へ行き、隅のほうにひっそりと立っている名前も知らない木の下を掘った。スコップなんか無かったから、スプーンで掘った。

ばかばかしいとは、不思議と思わなかった。並んでしゃがみこみ、湿った土をせっせと掘りながら、顔を見あわせて何となく笑った。

「こうしてると、なんか懐かしくない？」

と、うさぎは言った。

「ポチのときか？」

「あと、ピーコとか、カブトムシとかさ。考えてみたら、たくさんお葬式したよね。セイジと三人で」

やがて、穴は二十センチくらいの深さになった。持ってきた指輪を、ずっと昔に買ったギターピックの空き箱に入れて、穴の底に置いた。

上からかぶせた湿った土が指輪のウサギをおおい隠したとき、人のうさぎのほうはまた少し泣いたけれど、その涙は、今までの古い自分（大嫌いだったにしろ、まぎれもない自分自身）を弔《とむら》うにあたっての、礼儀にかなった涙だったと思う。

でも、ぽとりぽとりと落ちるしずくを見ているうちに、僕はついうっかりもらい泣きというやつをしてしまいそうになって、あやういところで鼻の奥のしびれをこらえた。いったいどうなってるんだろう。気が強いくせに泣き虫のうさぎの涙なんか、子供の頃から数えきれないほど見てきたはずなのに。

「……俺さあ」

やわらかな夜の空気を不用意に乱したくなくて、僕はそっとささやいた。

「試験のあとにお前と掲示板のとこで会ったとき、なんか、えらそうなこといっぱい言ったじゃん。あれ、後から考えたらさ、やきもちだったんじゃないかと思うんだ」

黒々と空をおおう木々のこずえを揺らして、ざわざわざわと夜の風が渡っていく。足もとからは、温かな土の匂いがしっとりとたちのぼってくる。

「お前の横に吉田の野郎がいて、なれなれしくお前にさわったりしてんの見たら、カーッと頭に血がのぼっちまってさ。それも、あの野郎だから腹が立ったってわけじゃなくて、ほかの誰だろうが同じだった気がする。こういうふうに言うとお前また、男は勝手だって怒るかもしんないけど、俺……俺、もしいま自分がフリーだったら、つき合ってくれってお前に言ってたかしんない。いや、冗談とか慰めとかじゃなくてさ。だって俺、お前が直樹に夢中なのを見てた間、こんなふうにいちずに想われたら男冥利《おとこみょうり》に尽きるのにと思って、けっこう直樹が憎らしかったもんな」

「…………」

ゆっくり、ゆっくり、うさぎはひと握りずつ穴の中に土をかけている。

その頰に残っていた涙のすじを、僕は手をのばして人さし指の背でぬぐってやった。

「あ、やべ。泥ついちゃった」

うさぎは洟をすすって少し笑い、口の形だけ動かして、ばか、と言った。

僕は、しゃがんだまま暗い空を見上げた。春は、星の光までおぼろに優しい。

「このへんの夜がこんなに静かだったなんて気がつかなかったな。街なかからほんのちょっとはずれただけなのにさ」

そうして今度はわざと、うさぎの頰っぺたに泥のついた指をぐいぐいなすりつけてやった。

「元気出せって。お前、自分で書いた歌詞忘れたのかよ。夜明け前の闇が一番深いって、あれ、ほんとにその通りだと思うぜ。今がどんなにつらく思えたってさ、そんなの永遠には続きゃしないんだ。ちゃんと終わる時がくるんだよ。もし今が一番つらく感じられるとしたらさ、それはつまり、終わりと始まりがもう目の前だってことなんだよ。な？」

「……キザ言っちゃって」

「うん」

「全然、似合わないよ」

「うん」

最後に、墓標のない「お墓」に神妙に手を合わせてから部屋に戻ると、僕らは爪の間につまった泥を洗い落とした。

明るいところでうさぎの顔を見たとたん、僕は自分がやったにもかかわらずプッとふき出してしまった。

「お前、鏡見てみろよ。学芸会の『村の子供1』みたいだぜ」

うさぎはぶりぶり怒りながら顔を洗い、それから、いつかみたいに二人して少し飲んで、そのうちにうさぎの目が眠そうになってきたので、並んで畳に横になった。

小さい電球をつけたままの、淡いオレンジ色に発光する部屋は、外の公園の闇よりももっと静かで優しい空気に満ちていた。

僕らはやがて、どちらからともなく腕をまわし合い、一度だけ、ぎこちないキスをかわした。この国で育った僕らは友だちのキスなんてものを知らないし、ましてやそれは恋人同士のキスとも違っていた気がするけれど、少なくともあの時の感情にはいちばんふさわしかったと思う。

でも、それだけだった。僕がうさぎに、その先をするだけの魅力を感じなかったからじゃない。本人はどう思っているか知らないが、うさぎはまぎれもなく女の子だった。肩も腰も背中もうなじも耳たぶも、髪の毛一本から爪の先まで女の子以外の何ものでもなくて、そして僕は男以外の何ものでもなくて、だからそうなってても全然おかしくなかった。ただ、そうなってもいいのと同じくらい、そうならなくてもよかった。服を着たまま抱き合い、お互いが共有する思い出を話して笑い合ったり、片方がすっかり忘れてしまっていることを思い出させようと懸命になったりしているだけで充分だったのだ。

「ねえ！　シャンプーの買い置きどこ？」

シャワーの音がやんだかと思ったら、いきなりこれだ。声にも少し張りが戻っている。こっちが眠っていてもかまわずたたき起こす気でいやがったな、と苦笑しながら起きあがり、キッチンまで行って、洗面所のドア越しに怒鳴ってやった。

「そこの洗面台の下になきゃ、あきらめな」

「洗面……台？　ああ、あったあった。サンキュ」

折れ戸がガシャガシャバタンと閉まる音がして、再び水音がし始めた。

眠い。まだ頭がはっきりしない。顔を洗ってひげを剃りたいけれど、いま洗面所に入ると、折れ戸の向こうのうさぎにギャアギャアわめかれそうだ。

僕はしかたなく、とりあえず流しで水をくみ、口をゆすいでからうがいをした。

三度目に上を向いてガラガラ言いかけた時だ。

ノックが聞こえた。

ごくりと口の中の水を飲み込んで、玄関のドアを凝視した。もう数えきれないほど聞き慣れた、独特のリズムのあるノックだった。

まいった。なんて間が悪いんだ。ずっと来てくれなかったくせに、よりによって何もこんな日に……！　うろたえて、手に持っていた水をこぼしてしまった。いっそ、いないふりをしようか。だけど、いざとなればマリコさんには合鍵がある。畜生、しかしまいった、このシャワーの音をどう説明すればいいんだ……ぐるぐる考えても何ひとつ答が浮かんでこない。

再びノックの音がした。

これ以上ぐずぐずしていて、それでマリコさんが鍵を開けて入ってきたりしたらそれこそ言い訳に困ってしまう。

仕方なく、僕は玄関の柱に手をついてドアを開けた。

上品なベージュのコートを着たマリコさんが僕を見上げ、

「ごめんなさい、まだ寝てた？」

めずらしく遠慮がちな感じに微笑んだ。それから、シャワーの音に気づいた。

「誰か来てるの？」

僕があーとかうーとか答えるより先に、マリコさんは玄関の足もとに転がっているうさぎのブーツに目をとめた。どんなにデザインがゴツいといったって、それはどう見ても男物のサイズではなかった。

「違うんだマリコさん、これは……その、友だちが……」

僕は口ごもり、口ごもったことでよけいにあたふたしながら必死で弁解した。

「俺、なんにもしてないよ。ほんとに、マジで」

マリコさんは僕に目を戻して、

「……いいのよ、ばかね」

フッと笑った。

「ほんとにさ、幼なじみで、風呂だって勝手に使ってるだけで、」

「わかってるわ」

そして僕の脇をすり抜けるようにして部屋に上がった。

「ごめんなさい。すぐ終わるから、ちょっとだけお邪魔させて」

え？　と訊き返す間もなく、彼女は奥の部屋に入っていって押し入れをさっと開け、下の段にかがみ込んで、ここしばらく置いたままになっていた服やバスローブや本なんかをバッグに入れはじめた。今まで見たことのない、大きなヴィトンのバッグだった。

ぐらりときて、思わずそばの椅子の背をつかんだ。口もきけずにマリコさんのすることを見つめる。全身が心臓になったように脈打っている。これはきっと、夢の続きだ。

「な……何してるんだよ」

やっとのことで訊いても、マリコさんは答えてくれない。押し入れの荷物を全部入れ終えて立ち上がり、部屋の中をぐるっと見まわす。

「マリコさん！」

(クシュン)

と、バスルームからうさぎのくしゃみが聞こえてきた。水音のせいで、人が来たことにも気づいていないらしい。

マリコさんは、スピーカーの前に積んであった三冊ほどの文庫本を拾い上げてバッグに入れ、カポタストや音叉やなんかを入れた皿から金のイヤリングをつまみ出してポケットに入れた。

それからふと思いついたように、CDの棚の前へ行った。並んだCDの背を人さし指でゆっくりなぞって行き、二段目の真ん中へんで指を止めてスッと一枚抜き取った。

「ねえ」さっとふり向くと、マリコさんは作ったような明るさで言った。「これだけ、もらってっていい？」

それは、あのとき僕が彼女のバッグにすべりこませたプロコル・ハルムだった。

きた。

「ど……うして……」

つぶやいた僕を、マリコさんはやっと思いきったように目を上げて、まっすぐ見つめて
「行くことに決めたの。ニューヨーク」

いちばん聞きたくなかった言葉だった。でも、彼女が押し入れを開けた時から、いや、ドアを開けて彼女の遠慮がちな微笑みを見た時から、あるいはもっともっとずっと前の時点から——自分がすでにその言葉を充分予期していたことに僕は気づいた。

「だ……だけどマリコさん、あれほど行かないって……」

言ってたじゃないか、と続けようとしたのに、声はかすれてフェイドアウトしてしまった。書いている途中でインクがきれたみたいな感じだった。

「そうね。そのつもりだったんだけれど」

マリコさんは目を伏せた。

「ずっと、絶対に行ってやるものかと思っていたし、大学を辞める決心もなかなかつかなかったし。でも……彼ね。今、またこっちへ戻ってきてるの」

「何しに」

「迎えに来たんですって。私を連れてでないと、帰らないって」

「そ……そんなの、向こうの勝手じゃないか」

「そうよね。ほんと、そうなんだけど……正直言うと、自分でもまだよくわからないのよ。あの人を完全に赦《ゆる》せたわけじゃないのに、もう一度やり直せるものかどうか。もしかするとまた失敗するかもしれない、また傷つくかもしれない、もうあんな思いをするのはいや、それなのに……。ねえ、私、自分がこんなにお人好しだなんて思わなかった。自分でもばかじゃないかとあきれ返ってるくらい。……決心したのは、ゆうべよ。だから、あなたに嘘をついてたわけでもないし、行くつもりでいながらずっと黙ってたわけでもないの。ほんとに、本当に悩んだのよ。それだけは信じて。でも私……」

再び目をあげて僕の顔を見たマリコさんは、その先をのみ込んで黙ってしまった。

そして、短いため息をついた。

「やめましょう。意味ないわ」

「…………」

「ごめんなさいね。これじゃ、寂しくてあなたを利用してたんだって思われても、仕方ないわよね」

「…………」

動けなかった。まばたきも、息さえもできなかった。

(いやだ、行かないでくれ、行かせちゃいけない、止めなくちゃ)

頭の中ではそう絶叫しているのに、体は心と同じように凍りついて、ぴくりとも動いてくれない。まるで、体を離れた魂が自分の死体の焼かれるさまをなすすべもなく見守るように、僕は、目の前で去っていこうとしている彼女を茫然と眺めているしかなかった。

どうしてこうなってしまったのかわからなかった。はっきりとわかるのは、もうどんなに止めても無駄だということだけだった。それは、あきらめとかとは次元の違う、何か一種の悟りみたいなものだった。彼女がこうと決めたら、誰も動かせない。

「私のものが何か残ってても、気にしないで捨ててね」

狭い玄関におりて、マリコさんがほっそりとした靴を履く。こんな時だというのに、その一連の動作のなめらかさに僕は見とれた。なんて色っぽい仕草で靴を履くんだろう。なんてきれいな脚なんだろう。あんなきゃしゃな足首でよく折れてしまわないものだ。ああ、こんなこと考えてる場合じゃないのに。

ノブに手をかけたところで、

「ねえ、涯くん」

ふり返ったマリコさんの目には、やっぱり涙なんかなかった。一年以上もつき合って、彼女はとうとうただの一度も、泣くところを僕に見せなかったことになる。そんな彼女でも、ダンナの前では平気で泣くのだろうか。

「涯くん？」

マリコさんはもう一度呼んで、僕を我に返らせた。こうして見る彼女は、知り合ってこのかた、いちばん穏やかで落ちついた表情をしていた。

「あのね。私、このあいだ初めて知ったの」マリコさんは、ゆっくりとまばたきをして言った。「ほら、あなた前に言ってたでしょう？　自分の名前のこと、なんだか寂しくて嫌いだって。でもね、涯っていう字には『果て』という意味の前に、もうひとつ別の意味があるのよ。知ってた？」

キュッキュッとシャワーの蛇口を閉める音が聞こえてきて、水音がやんだ。バスルームの折れ戸の開く音に続いて、うさぎが洟をすするのが聞こえた。

僕は、石の彫刻が動くのと同じだけの努力をして、ようやく何ミリか首を横にふった。

マリコさんは微笑み、

「自分で調べてごらんなさい。漢和辞典に載ってるはずだから」

教師モードでそう言って、ドアを出ていきながらつけたした。

「私ね。それを知った時、ああ、あなたにぴったりの名前だなあって……そう思って、なんだか嬉しかったわ」

ゆっくりと閉まっていくドアの隙間の向こうで、マリコさんのコートのベージュ色が細くひるがえる。

ぱたん、と乾いた音を残してドアは閉まった。もう、金輪際《こんりんざい》、世界の終末がくるまで二度と開かないんじゃないかと思うくらい、完全に閉まった。

規則正しい足音が廊下を遠ざかり、鉄の階段を一段一段おりていってしまうのを、僕はぼんやり聞いていた。

うさぎがカタッと物音をたてた。ばさばさとタオルで髪をふいている音もする。渾身《こんしん》の力をふりしぼって無理やり金縛りをふりほどくと、キッチンから六畳へのろのろと戻った。うまく歩けなかった。昔の囚人みたいに、足首に鎖をつけて鉛の玉を引きずっている気がした。

ようやくベッドまでたどりついて、崩れるように腰をおろす。こんな情けないところをうさぎに見せたくはない。しゃんとしろ。今だけでいいからしゃんとするんだ。

……いくら自分に言い聞かせても、だめだった。貧血を起こす前みたいに息苦しくて、口の中にはひっきりなしにいやな生つばがわき、僕は何度もそれをのみくだした。

〈寂しくてこうなったんだって言ったら、涯くん、怒る?〉

いつかのマリコさんの言葉が、耳元によみがえってくる。あのとき僕は、それでもいいと言った。今さえほんとならそれでいい、と。

僕の言葉を聞きながら、マリコさんは何を思っていたのだろう? 彼女にとって、僕との時間が「ほんと」だったことなんかあったのだろうか。僕といて救われたことなんか、少しでも、一瞬でもあったのだろうか。

僕は彼女に出会って恋をし、恋をしたことで変わった。マリコさんは変わったか、と僕が訊いた時、彼女は言った。

〈もちろん、変わったわ〉

うそだった。変わったのは僕だけで、本気で恋をしていたのは僕だけで、マリコさん自身は何も変わらなかった。僕では彼女を変えられなかったのだ。だから彼女は、古いものを捨てきれないで行ってしまったのだ。ダンナがマリコさんを何と言ってくどいたのかはわからない。でも、とにかくあいつは、あんなに固かった彼女の決心を動かした。彼女を、動かした。僕にはとうとうできなかったことを、あいつはやってのけたのだ……。

サイドテーブルの上には、マリコさんが集めたマッチの入っている空き瓶と、一本だけ残った煙草の箱がそのままになっていた。今の僕には、その瓶の中途半端なサイズまでがこたえた。もっと大きな瓶ではなくて、これを選んだ時から、つまりほとんど一番初めのころから、マリコさんは別れがそう遠くないことを知っていたのかもしれない。

僕は、煙草に手をのばした。乾いた唇にくわえ、瓶のふたをひねって開け、マッチをひとつ取り出して、火をつける。煙を吸い込むと、ずいぶん久しぶりだったせいか少しむせて、目尻に水っぽいものがにじんだ。

洗面所のドアが開き、うさぎが出てきた。あふれだした石けんとシャンプーの香りはたちまちマリコさんとの朝を思い起こさせ、僕はぎゅっと目を閉じて奥歯をくいしばった。

「あー気持ちよかった」

うさぎは、ほんとうに心の底から気持ちよさそうに言った。

「ねえ、洗面台のとこにあるベビーローション、先生のでしょ？　ほんのちょっと使わせてもらっちゃだめかな」

「……好きなだけ使えよ」

やっとの思いで、僕は言った。

捨ててくれと言っていたくらいだ。ひと瓶使いきったってかまうまい。

「ねえ、そういえば今さっき誰か来てなかった？」

息が詰まるほど懐かしい、赤ん坊みたいな匂いをさせて部屋に入ってくると、あれ？　とうさぎは言った。

「めずらしいじゃん、涯が煙草なんて」

バスタオルを聖母マリアみたいな感じに頭からかぶったうさぎは、いつのまにひっぱりだしたのか、ジーンズの上に僕のストライプシャツを着ている。

「借りちゃったよ」

「……うん」

うさぎは僕の前にしゃがみ、心配そうに下からのぞきこんできた。

「ちょっと。何かあったの？」

「……なんで」

「なんでじゃないよ。鏡見てみなよ。なにその顔」

「……まさかお前、俺が寝てる間に落書きでもしたんじゃないだろうな」

「ばか、冗談じゃなくてさ。真っ青だよ。ゾンビみたい」

僕は唇から煙草をつまみ取り、うっすらと笑ってみせようとしたが、手がふるえそうになって慌ててひざに置いた。

「悪いけどさ」

「え?」

「そこの、漢和辞典とって」

「……?」

けげんそうに眉を寄せながらも、うさぎはタオルを首にかけ直して、すぐ後ろの黒いカラーボックスからぶ厚い辞書をひっぱり出した。

「どうすんの?」

「調べてくんない。俺の、涯っていう字」

うさぎはますますへんな顔をしたが、黙って索引を引き、ぱらぱらとページを繰って、

「あったけど」

と言った。

「そこにさ。『果て』って意味のほかに、もう一つ意味がある?」

「えー……うん。ある」

「読んで」

うさぎは、まじまじと僕の顔を見て、それから再び漢和辞典に目を落とした。

「へえ、こんな意味もあるんだね。『岸辺、水ぎわ、ほとり』だってよ」

「……それだけ？」

「うん。ねえ、これがどうかしたのってば」

僕はゆっくりと深呼吸をした。うさぎに、みっともないところだけは見せたくなかった。

「さっき、マリコさんがさ」

「えっ。今さっき来てたの先生だったの？」目を見ひらいて、うさぎは言った。「どうしよう、あたしシャワーなんか浴びててまずくなかった？　まずかったよね？」

僕は苦笑した。「関係ねえよ」

「ほんとに？」

「ああ。気にもしてなかったさ」

そんなことで嫉妬したり怒ったりしてもらえるくらいなら、初めからこんな結果にはなっていなかっただろう。

「なら、いいんだけど……」まだ不安そうに、うさぎがつぶやく。「あ、ごめんね。話、さえぎっちゃって。で、島村先生がどうしたの？」

「……置いてたものみんな、持って帰ったんだ」

うさぎの顔色が変わった。

「やっぱりあたしのせいじゃ……」

「違うって」

僕は、一言一言絞りだすみたいにして、マリコさんの夫がニューヨークから彼女を迎えにきている話をしてやった。彼女が最後に僕に残していった言葉を含めて、あらかたの事情を説明しながら、ともすればあふれ出しそうになる感情に流されまいと、必死で自分の気持ちのふたを押さえていた。むかし兄貴に言われてそうしたようにだ。力いっぱい押さえていても、そのふたは中で何かが暴れ狂っているみたいに、ガタガタ動いてはずれそうになった。

「わかったろ？　だから、お前のせいとかそんなんじゃないんだ。俺がめでたく用済みになったってだけの話」

「そんな……」

痛いほどのうさぎの視線から、僕は目をそらした。開かれたままの漢和辞典が、場違いなもののようにそこにあった。

「『岸辺』だの、『ほとり』だの……なんでそれが俺の名前にぴったりなんだよ。わけわかんねえよ」

しばらく黙っていると、ふいに、うさぎの手がのびてきた。いつのまにか灰が長くなっていた煙草を僕の指からそっと抜き取ると、灰皿を見つけてもみ消す。そして彼女は、僕を見ないまま言った。

「ねえ。あたし、帰ったほうがいい？」

——僕は、黙っていた。

「それとも、帰んないほうがいい？」

——僕は、黙っていた。

うさぎは小さくため息をついて立ち上がり、首にかけていたバスタオルをキッチンの椅子の背にかけた。そのへんの紙袋に自分の服を入れ、すみに置いてあったバッグと上着を手に取る。

「じゃあ、また来るね」

「うさぎ」

と、僕は言った。

「え？」

「……帰んないほうがいい」

うさぎはゆっくりと荷物を下に置き、

「素直じゃないんだから」

もう一度そばへ来ると、立ったままで僕の頭を抱きかかえた。

柔らかなうさぎのおなかに額を押しあてて、僕は目を閉じた。まぶたの奥が、じん、と熱い。

「いいんだよ、泣いたって」と、うさぎはささやいた。「誰にも言わないから」

「やだよ。お前、何でもセイジに言うじゃん」

「言わないってば、ぜったい」

僕は、くすっと笑ってみせた。

「残念だけど俺、そう簡単には泣けない体質なんだ。親が別れた時もそうだったし」

「でも、一年生のときあたしがおちんちん蹴ったら泣いたじゃん」

「そりゃ誰だって泣くよ」

「ポチが死んだ時だって泣いたじゃん」

「あれはまだガキだったからさ」

「今だってガキじゃん」

「……そうだな」

うさぎはしばらく黙っていたが、やがて僕の頭をなでながら、いちだんと小さな声で言った。

「あのさ。あたし、『岸辺』っていうの、わかるような気がする」

「…………」

「ずーっと船で旅しててさ、海の真ん中で嵐にあったり、今どこにいるんだかわかんなくなったりしてさ、やっとのことで岸が見えたらものすごくホッとするじゃない。あたしは船旅の経験なんてないけど、たぶんそういうもんじゃない。先生にとって、涯はきっと、その岸辺だったんだよ。気持ちのよりどころだったんだよ。涯と一緒にいる時だけは、寂しさがふーってゆるんで安心できたんじゃないのかな。それって……よくわかるんだ、あたしもおんなじだから。ひとりぼっちでどんなに寂しくたって、誰とでも抱き合えばいいってもんじゃないよね。あたしなんか、それを間違えちゃって吉田くんにすごく悪いことしたし。でも……涯はね、なんか特別なの。涯と一緒にいるといつも、何でかわかんないけど、ちょっとだけ自分のこと好きになってもかまわないような気になれるの。先生だって、そうだったんだよ。だから先生、涯とこうなったこと、後悔してないと思う。きっと涯のこと、ほんとに好きだったんだよ。でなきゃ、岸辺って意味が涯にぴったりで嬉しかったなんて言わないよ」

僕はじっと目をつぶったまま、うさぎの言葉のひとつひとつが、皮膚から、血や肉にまで浸透していくのにまかせていた。なんだか、凍えきっている時に入るぬるめの温泉みたいだった。しばらく後からじんわりきいてくる。

「涯はさ、恋してたのは自分だけだったなんて言うけど、そんなのどうしてわかるの？

恋に決まった形なんかないじゃない。寂しくてする恋だってあるよ。もしそうだったとしても、そんなの誰にも責められないよ」

「……うさぎ」

「うん？」

「お前さあ。セラピストにでもなれば」

「何言ってんの。あたしこれでも法学科だよ？」

うさぎは僕の頭の上でふふと笑って、でもね、と言った。

「あたしは、歌を歌うんだもん」

びっくりして、思わず彼女を見上げた。うさぎは、ピッと小気味よくつり上がった大きな目で僕を見おろしてきた。

「あたしさ、いままでずっと不思議に思ってきたことがあるの」

「なに」

「日本だけでも、男は何千万もいるのに、どうしてみんなたった一人を選べるんだろうってこと。赤い糸とか運命の恋とか言うけど、たまたま出会って好きになったからってずーっとその人一人とつき合ってたんじゃ、その人が運命の相手かどうかなんてわかんないじゃん、他にももっとぴったり合う人がいるかもしれないじゃん……って、ずっとそう思ってた。でもさ、違うんだよね。『運命の恋』なんていう特別なものがどこかにあるわけじゃないんだよ。あえて言うなら、恋はみんな運命なのかも。ゆうべ、涯が寝ちゃってから考えてたの。あたしが生きられるのは、どうやったって一つの人生だけなんだし、どれほどいっぱい素敵な人がいても、全部と知り合うなんて不可能なんだしさ。それどころか、本当の意味でちゃんと知り合えるのは、その中のほんのひと握りなわけじゃない？　だから、運命なんていうけど、それってきっと、タイミングとか、相性とか偶然とかをそういう言葉で呼んでるだけなんだと思う。だって、考えてもみてよ。地球上にこれだけたくさんの人が生まれてくる中でだよ、偶然おんなじ時代に生まれて出会えたってだけでも奇跡だよ。おまけにあたしたちなんか、おんなじ町に生まれて、おんなじガッコに通って、おんなじバンドやってさ。これってもう、りっぱな『運命の出会い』だと思わない？」

「……すげえ」

「でしょ？」

うさぎはにっこりした。

「だからね、この先出会うかどうかわかんない人のことをあれこれ考えるより、まずは、出会えた相手を大切にしなきゃと思うわけ。恋人とかに限らず、あたしに関わってくれる人みんな。マスターだって、直樹や、セイジや、あんただって、それから憎たらしいけどオザキさんだって。それに人だけじゃなしに、チャンスとかそういうものもね。あたし、いまだに自分のこの声もこの顔も好きじゃないけど、あたしがあたしに生まれてきたのも、言ってみれば『運命の出会い』なんだろうしさ……だから、いまはとにかく歌を歌ってみようって……持ってるものでやるだけやってみようって、そう決めたの」

「そんなすげえこと、いつ決めたんだよ」

「だから、ゆうべだってば。涯のイビキ聞きながら」

「………」

なぜだかたまらなくそうしたくなって、僕はうさぎの細い腰を抱きしめた。そうしながら、思った。マリコさんが僕との別れを決めていたその同じ夜、うさぎもちゃんと、自分のことを決めていたんだな、と。

「ねえ」

「うん?」

「今から、お葬式しない?」

「なんだよ、こんどは俺のかよ」

「ううん」

見上げると、うさぎはひっそりと言った。

「……恋のだよ。あたしたち一人ひとりの」

ガラステーブルの上のＣＤや雑誌を全部どかし、ネスカフェの瓶をさかさにして、僕らは真ん中にマッチ箱の山を作った。ボックス型のもあれば二つ折りの平たいものもあり、大きさも色もとりどりで、写真や絵の入ったのがあるかと思えば店の名前だけのもある。

朝だというのにわざわざぴっちりとカーテンを引いて暗くした部屋の中で、うさぎと僕は、一本ずつマッチを擦《す》っては灰皿に入れていった。途中で吹き消したりせずにそのままじっとつまんでいると、小さな炎は思ってもみなかったほど長く、美しくゆらめいて、赤く青く燃えた。

「なんか、マッチ売りの少女みたい」と、うさぎは僕を見た。「恋の送り火だね」

「恋の送り火！」僕は苦笑した。「お前、こんど演歌の詞でも書けば？」

「ふんだ。いいよ、そのかわり曲は涯だからね」

小さい瓶だとばかり思っていたのに、一本ずつ燃やせばマッチはけっこうたくさんあって、うさぎと僕の間には何度も何度も、新しい炎が燃え上がっては燃えつきた。マッチ一本のほの明かりで照らされたうさぎの顔はいつもよりずっと穏やかに見え、こいつ、バスタオルをかぶっていなくてもちょっとマリア様みたいだなと僕は思った。

「ねえ、涯」

「ん？」

「恋なんてさ、一生に一度のものじゃないよね。何べんだってできるよね」

自分に言い聞かせるようにつぶやきながらうさぎは、次のマッチを擦る。

「ね、簡単じゃん。前のマッチが消えたら新しいのをすればいいのとおんなじでさ、ひとつやふたつ消えちゃったり、うまく火がつかなかったりしたって、またしぶとく誰かを好きになればいいんだもん。運命の恋人、なんつって案外、すぐそばにいるのに気がつかないだけだったりしてさ」

「……俺のほう見て言うのやめてくれる」

「ばーか。うぬぼれ過ぎ」

マリコさんを失ったというのに──あのあたたかな体を抱きしめることはもう永遠にないというのに、こんなふうに何とか平静を保っていられる自分が不思議でならなかった。彼女との別れをどこかで予感しはじめてからというもの、僕が最も恐れていたのは、別れそのものよりも、それが現実になった時の自分自身だったからだ。どれくらいほうけてしまうか、はたして正気を保っていられるものかどうかも、まったく見当がつかなかった。

うさぎが帰って一人きりになったらどうなるかわからない。それでも、とりあえず今こうして、泣くことさえしないで持ちこたえていられるだけでも奇跡だった。泣くまいとしているとかうまく泣けないとかいうよりは、涙を流す必要性をあまり感じないというのに近くて、たぶんそれは、涙なんかで自分を憐《あわ》れんだり慰めたりしてやらなくても──つまり自分で自分の傷をなめなくても、代わりにそうしてくれる存在がそばにいるからだった。うさぎのくれた幾つもの言葉や、額をおしあてた時の柔らかなおなかの温かさや、目の前で次々にともる小さな炎の明るさや、熱や——そんなものたちが僕を慰めようとして、まだ生々しい傷のまわりを包みこんでくれているからだった。ちょうど、僕がゆうべ彼女の指に巻いてやったあのバンドエイドみたいに。

「うさぎ」

「うん？」

「…………。何でもない」

「当ててみせよっか」クスリと笑って、うさぎは言った。「幼なじみも、たまには役に立つもんだなぁって思ったんでしょ」

びっくりして目を上げた。

「なんでわかんの」

「さあね」

うさぎは肩をすくめた。

「あ、いよいよこれがラストだよ。あんたが擦る？」

「いいよ、お前やれよ」

火をつけようとして少したためらい、うさぎは僕を見た。

「ねえ。これが終わったらさ、部屋のカーテンも窓もぜーんぶ開けっぱらって、新しい空気と入れ替えよ？　それでもって、この芸術的に散らかった部屋、すみからすみまで掃除すんの。いらないものはもちろんだけど、ちょっとなごり惜しいものも、何もかもみーんな整理しちゃってさ。それから、一緒にどっか出かけようよ。ね」

「出かけるって、どこへ。何しに」

シュッと音がして、最後のマッチが彼女の小さな手の中で燃えあがる。オレンジとブルーの、夜明けの空を思わせる炎が燃えつきるのを最後まできっちり見届けた後で——

「かわりの指輪も、涯が買ってくれるっていうのは、どう?」

うさぎは、まったく彼女らしい提案をした。

この作品は一九九八年九月、集英社より刊行されました。

村山由佳の本　　集英社文庫

天使の卵 エンジェルス・エッグ

そのひとの横顔はあまりにも清冽で、凛としていた——。19歳の予備校生の〝僕〟は、8歳年上の女医にひと目惚れ。日ごとに想いは募るばかり……。小説すばる新人賞受賞作。

BAD KIDS《バッドキッズ》

同性のチームメイトを激しく思い続ける隆之。年上の写真家との関係に傷つく都。愛に悩み、性に惑いながらもピュアに生きる18歳の等身大の青春像をみずみずしく描き出す。

もう一度デジャ・ヴ

行ったことはない。でも、テレビに映し出された風景は見覚えがある！その強烈なデジャ・ヴ〈既視感〉に僕は意識を失い、過去へさかのぼる。運命の人と出会うために……。ファンタジー・ロマン。

野生の風

このサバンナを渡る風のように、自由にあなたを愛せたらいいのに……。アフリカの大草原を舞台に、染織家の飛鳥とカメラマン・一馬の激しい愛と別れを描く、心ゆさぶる物語。

きみのためにできること

凄い音を作りたい。だが、夢までは遠い——。高瀬俊太郎は新米の音声技師。仕事に意欲を燃やすが、恋人がふたり、彼の心に棲み始めた……。真摯な想いが時を駆ける青春小説。

キスまでの距離 おいしいコーヒーのいれ方I

彼女を守ってあげたい。誰にも渡したくない——。高校3年になる春、年上のいとこのかれんと同居することになった「僕」。彼女の秘密を知り、強く惹かれてゆくが……。せつなくピュアなラブ・ストーリー。

青のフェルマータ

心に傷を負い、言葉を失ってしまった少女、里緒。
治療のため訪れた南太平洋の海辺でイルカたちと触れ合い、
さまざまな人々と出会ううち、彼女の心は開かれてゆく——。

僕らの夏　おいしいコーヒーのいれ方II

年上のいとこのかれんと、その弟の丈と同居して1年、大学生になった勝利だが、
恋人でもあるかれんとの距離が縮まらず、不安と焦りの日々。
その上、強力なライバルも出現し……。好評シリーズ第2弾。

彼女の朝　おいしいコーヒーのいれ方III

5歳年上のいとこのかれんに恋した勝利。ファースト・キスは交わしたものの、
同じ屋根の下で暮らすふたりの「秘密の恋」はなかなか進展しない。
はじめてふたりだけの夜を過ごすことになって……!?

翼　cry for the moon

幼い頃に受けた仕打ちで凍りついた真冬の心。愛に閉ざされた心を解き放つのは、ニューヨーク、そして広大なアリゾナの地の人々。一人の女性の魂の再生と自由を描く長編。

雪の降る音　おいしいコーヒーのいれ方Ⅳ

勝利と、かれんの恋は順調。でも秘密の恋ゆえにいろいろと気になる事が……。かれんに思いを寄せる同僚の存在、勝利にも迫ってくる同級生がいる。微妙な四角関係にゆらぐ恋の行方は——。

緑の午後　おいしいコーヒーのいれ方Ⅴ

秘密の恋を打ち明けたときから、何かが動きはじめた。単身赴任していた父も帰京することになり、一人暮らしを決意する勝利。サイドストーリーも収録する、好評シリーズ5弾目。

海を抱く　BAD KIDS

超高校級サーファーの光秀と、校内随一の優等生の恵理。それぞれが内に抱える厳しい現実と悩みは、からだを重ねることで癒されるのか。18歳の生と性の真実を描く長編小説。

遠い背中　おいしいコーヒーのいれ方VI

いよいよ勝利の一人暮らしがはじまった。恋も進展するはず。だけど今度は、別々の家に帰るせつなさが、つのる――。かれんの実の兄「風見鶏」のマスターのサイドストーリーを収録。

集英社文庫

夜明《よあ》けまで1《ワン》マイル　somebody loves you

2005年1月25日　第1刷

定価はカバーに表示してあります。

著　者　村《むら》　山《やま》　由《ゆ》　佳《か》

発行者　谷　山　尚　義

発行所　株式会社　集　英　社

東京都千代田区一ツ橋2—5—10
〒101-8050

(3230) 6095（編集）
電話　03 (3230) 6393（販売）
(3230) 6080（制作）

印　刷　大日本印刷株式会社

製　本　大日本印刷株式会社

造本には十分注意しておりますが、乱丁・落丁（本のページ順序の間違いや抜け落ち）の場合はお取り替え致します。購入された書店名を明記して小社制作部宛にお送り下さい。送料は小社負担でお取り替え致します。但し、古書店で購入したものについてはお取り替え出来ません。

　Printed in Japan

ISBN4-08-747774-6 C0193